Gerard M...
Санкт-Петербург
24 Nov 93

ПУШКИНСКИЙ ПЕТЕРБУРГ

Pushkin's St. Petersburg

Автор-составитель А. М. Гордин

Научный редактор академик М. П. Алексеев

САНКТ-ПЕТЕРБУРГ «ХУДОЖНИК РСФСР» 1991

85
Г67

В составлении альбома принимал участие М. А. Гордин

Оформление и макет В. П. Веселкова

Перевод Е. Н. Петровой

Г $\frac{4903000027}{М 173(03)-91}$ без объявл.

ISBN 5-7370-0260-8

ПУШКИНСКИЙ ПЕТЕРБУРГ

ПУШКИН И ПЕТЕРБУРГ

В творчестве Пушкина город Петербург получил цельное и многообразное отображение. Такое безусловно верное наблюдение, не один раз высказывавшееся читателями и критиками еще при жизни поэта, в достаточной мере оправдывает устойчивый интерес к теме пушкинского Петербурга и в наши дни, во время глубокого и обостренного внимания к удивительной судьбе наследия Пушкина в истории нашей культуры. Тем не менее сколь бы справедливым ни представлялось приведенное выше утверждение, как часто ни повторялось оно, конечный его смысл всегда был многозначным: он не оставался неизменным в любое историческое время, и всякий раз получал новое, усложняющее его развитие.

Современники великого поэта были в лучшем положении, чем мы, когда архитектурный облик Петербурга, перспективы его улиц и площадей, которые они видели собственными глазами, они узнавали воссозданными, претворенными в совершенных стихах, только что вышедших из-под его пера, или страницах его прозы. Для нас, наоборот, и в этом архитектурном облике города и в самих предметах сопоставления многое сместилось, сдвинулось или исказилось, и только пушкинские творения служат надежным путеводителем по городу, каким он был при поэте и каким мы захотели бы его увидеть снова. Но этот процесс искусственного воссоздания утраченного облика города, который рос и быстро менялся за последние полтора века, является и трудным и в известной мере бесплодным, так как он никогда не может быть безошибочным и, в свою очередь, требует фантазии и сильно развитого поэтического чувства. Такой процесс описал Н. В. Гоголь в своей неоконченной повести «Рим», в которой рассказано, как внезапно, с чудодейственной ясностью может предстать перед иностранцем тот древний город, который он ищет в буйной зелени, прорастающей среди развалин, руководствуясь чтением и историческими воспоминаниями: нужно сделать над собой усилие, и тогда «начинает выдвигаться древний Рим, где темной аркой, где мраморным карнизом, вделанными в стену, где порфировой колонной, где фронтоном посреди вонючего рыбного рынка, где целым портиком перед нестаринной церковью! ⟨. . .⟩ И уж не видит иноземец нынешних тесных его улиц и переулков, весь объятый древним миром: в памяти его восстают колоссальные образы цезарей, криками и плесками древней толпы поражается ухо . . .»*

Современникам Пушкина было легко утверждать, что Пушкину удалось творчески воссоздать облик любимого им города на Неве ярче, точнее и совершеннее, чем это могли сделать до него многие другие поэты и художники. Наше восприятие города и его отображения в искусстве значительно более сложно, чем более естественное и простое сопоставление и сближение, которое удавалось сделать его старинным жителям. Это происходит прежде всего потому, что на пушкинские строфы о Петербурге наслоились другие литературные воссоздания города, если не всегда столь же совершенные, то во всяком случае очень индивидуальные и своеобразные. Во-вторых, наше восприятие усложнено бесконечно бóльшим и лучшим пониманием особенностей пушкинского гения, чем то, каким располагали люди его эпохи.

Помимо пушкинского Петербурга, для нас существуют живые и памятные страницы о нем других выдающихся художников русского слова. Петербург Гоголя, Достоевского, Тургенева, Валерия Брюсова, Андрея Белого, Александра Блока: написанные ими картины Петербурга наплывают друг на друга и раскрывают свои индивидуальные, психоло-

---

* Н. В. Гоголь. Полн. собр. соч. Т. 3. М.–Л., Изд-во АН СССР, 1938, с. 233, 234.

гические и стилистические, особенности лишь при их анализе и сопоставлении друг с другом. Из таких сопоставлений и сближений явствует, что как и во многих других областях русского искусства, Пушкин в данном случае был одним из начал, но не концом литературного процесса – длинного ряда постоянно обновлявшихся попыток воплотить Петербург в образах поэзии и прозы, – что он гениально открыл, но не исчерпал все возможности истолкования города в словесном мастерстве.

Сказанное можно пояснить одним, может быть, случайным, но достаточно ярким примером. Среди многочисленных характеристик неповторимых особенностей Петербурга как северного города современники отмечали удивительные по совершенству отточенного слова описания белых ночей. Среди последних особенно памятны всем классические строки:

Люблю тебя, Петра творенье . . .

В этих стихах Пушкин признается, что он любит «строгий, стройный вид» города, «Невы державное теченье, береговой ее гранит . . .»

Твоих оград узор чугунный,
Твоих задумчивых ночей
Прозрачный сумрак, блеск безлунный,
Когда я в комнате моей
Пишу, читаю без лампады
И ясны спящие громады
Пустынных улиц, и светла
Адмиралтейская игла.
И, не пуская тьму ночную
На золотые небеса,
Одна заря сменить другую
Спешит, дав ночи полчаса . . . *

Известно, что к этой строфе «Медного всадника» Пушкин сделал особое примечание: «см. стихи кн. Вяземского к графине Завадовской»**.

Он имел в виду стихотворение П. А. Вяземского «Разговор 7 апреля 1832 г.», посвященное гр. Е. М. Завадовской, где также идет речь о любви к Петербургу и пристрастии к нему в летнюю пору:

Я Петербург люблю, с его красою стройной,
С блестящим поясом роскошных островов,
С прозрачной ночью – дня соперницей беззнойной,
И с свежей зеленью младых его садов . . . и т. д.***

Своим примечанием Пушкин сам наталкивал читателей на сопоставление данной им характеристики белых ночей с другими опытами в том же роде его друзей-поэтов.

Не столь широко известно, что к этому сопоставлению у Пушкина имеется еще одна весьма любопытная параллель. В отрывке из незаконченной повести «Гости съезжались на дачу . . .» Пушкин описывает вечер на одной из великосветских дач петербургских островов (по-видимому, даче графов Лавалей на северо-западной оконечности Аптекарского острова): «На балконе сидело двое мужчин. Один из них, путешествующий испанец, казалось, живо наслаждался прелестью северной ночи. С восхищением глядел он на ясное, бледное небо, на величавую Неву, озаренную светом неизъяснимым, и на окрестные дачи, рисующиеся в прозрачном сумраке. «Как хороша ваша северная ночь, – сказал он наконец, – и как не жалеть о ее прелести даже под небом моего отечества?» – «Один из наших поэтов, – отвечал ему другой, – сравнил ее с русской белобрысой красавицей»*.

---

* А. С. Пушкин. Полн. собр. соч. в 10-ти т. Т. 5. М., Изд-во АН СССР, 1957, с. 136.

** Там же, с. 156.

*** Новоселье. Спб, 1833, с. 497.

Этот же образ белой ночи припомнился Пушкину в другой раз: в примечании восьмом к XLVII строфе первой главы «Евгения Онегина» он приводит большую выписку из идиллии Н. Гнедича «Рыбаки»:

Была та година златая,
Как летние дни похищают владычество ночи;
Как взор иноземца на северном небе пленяет
Слиянье волшебное тени и сладкого света,
Каким никогда не украшено небо полудня;
Та ясность, подобная прелестям северной девы,
Которой глаза голубые и алые щеки
Едва оттеняются русыми локон волнами . . . **

Таким образом, Пушкин несколько раз отсылал своих читателей к попыткам современных ему русских поэтов отобразить ту белую северную ночь, для описания которой он нашел собственные слова – неповторимые по своей отчетливой ясности и отточенности сравнений. Но два года спустя после смерти Пушкина шедший ему на смену М. Ю. Лермонтов для описания той же белой ночи в Петербурге нашел другие слова и немыслимые для Пушкина гипертрофированно-романтические уподобления:

Тому назад еще немного лет
Я пролетал над сонною столицей,
Кидала ночь свой странный полусвет,
Румяный запад с новою денницей
На севере сливались, как привет
Свидания с молением разлуки . . .
Над городом таинственные звуки,
Как грешных снов нескромные слова
Неясно раздавались – и Нева,
Меж кораблей сверкая на просторе,
Журча, с волной их уносила в море.

(«Сказка для детей», 1839)***

А еще через несколько лет одна из картин «Призраков» (1864) И. С. Тургенева дает еще одну картину белой ночи в Петербурге, столь не похожую на предшествующие словесные ее характеристики: «Северная, бледная ночь! Да и ночь ли это? Не бледный, не больной ли это день? Я никогда не любил петербургских ночей; но на этот раз мне даже страшно стало: 〈. . .〉 Так вот каков Петербург! Да, это он, точно. Эти пустые, широкие, серые улицы; эти серо-беловатые, желто-серые, серо-лиловые, отштукатуренные и облупленные дома, с их впалыми окнами, яркими вывесками, железными навесами над крыльцами и дрянными овощными лавчонками; эти фронтоны, надписи, будки, колоды; золотая шапка Исаакия; ненужная пестрая биржа; гранитные стены крепости и взломанная деревянная мостовая; эти барки с сеном и дровами; этот запах пыли, капусты, рогожи и конюшни, эти окаменелые дворники в тулупах у ворот, эти скорченные мертвенным сном извозчики на продавленных дрожках, – да, это она, наша Северная Пальмира. Все видно кругом; все ясно, до жуткости и четко, ясно, и все печально спит, странно громоздясь и рисуясь в тускло-прозрачном воздухе. Румянец вечерней зари – чахоточный румянец – не сошел еще, и не сойдет до утра с белого, беззвездного неба; он ложится полосами по шелковистой глади Невы, а она чуть журчит и чуть колышется, торопя вперед свои холодные синие воды . . .»****

Это еще одно, новое восприятие белой ночи в Петербурге в другую историческую эпоху, в существе своем вступающее в полное противоречие с пушкинским: мы находимся

---

* А.С. Пушкин. Т. 8, с. 37.
** А.С. Пушкин. Т. 6, с. 191, 192.
*** М.Ю. Лермонтов. Соч. в 6-ти т. Т. 1. М.–Л., 1955, с. 175, 176.
**** И.С. Тургенев. Полн. собр. соч. в 28-ми т. Т. 9. М.–Л., «Наука», 1965, с. 104, 105.

на пороге того их истолкования, болезненного, мечтательного, надрывного, какое им дал Ф. М. Достоевский *.

Приведенные примеры иллюстрируют одну из важнейших трудностей, какая возникает перед современными нам читателями Пушкина, которые пожелали бы себе представить пушкинский Петербург и одновременно оценить зоркость и совершенство поэтического видения Пушкина; мы должны для этого подвергнуть его произведения некоей изоляции от других литературно-исторических впечатлений и воспоминаний, владеющих нами, мешающих сосредоточиться только на созданных им поэтических и прозаических текстах. Но в этом процессе современного нам читателя ожидает еще одна трудность, о которой нередко забывают. Бытовое окружение Пушкина, тот материальный мир вещей, предметов и обиходных явлений, в котором он жил, мы представляем теперь, в настоящее время в своего рода сублимированном, преображенном мире. Источником этого представления (помимо творчества самого поэта, в котором действительность того времени также предстает перед нами в художественном претворении) служат по преимуществу музейные экспонаты, произведения пластических искусств, художественная литература и печать той поры. Поэтому из возникающей в нашем представлении бытовой картины, как бы мы ни стремились воссоздать ее во всей жизненной полноте, исчезают порой очень существенные детали. Восполнить их не так просто, так как во многих случаях это потребовало бы особых, не выполненных еще разысканий. С другой стороны, комментарии к художественным текстам русского прошлого, в свою очередь, страдают обычной, хотя и вполне объяснимой неполнотой, прежде всего в части своих реальных, бытовых пояснений. Благодаря этому мы нередко затрудняемся ответить на простейшие бытовые вопросы, относящиеся к русской жизни времен Пушкина, даем произвольное толкование тем или другим местам интерпретируемого текста, путаемся в словах, изменивших свою семантику, так как не всегда правильно догадываемся о вещах, которым эти слова в свое время служили обозначением. Труднее всего представить себе в первоначальном виде поток ежедневных житейских впечатлений Пушкина, которые получал он, живя в Петербурге.

В самом деле: мало кто из читателей Пушкина может знать, что в его время северная столица оказалась одним из первых городов Европы, в котором заведены были торцовые мостовые, довольно широко применявшиеся здесь уже в начале 30-х годов; между тем знакомство с подобными фактами не является бесполезным для того, чтобы можно было вполне оценить звуковую меткость стихов из «Медного всадника»:

> Тяжело-звонкое скаканье
> По потрясенной мостовой **.

или тонкий акустический эффект в стихах «Евгения Онегина»:

> Да дрожек отдаленный стук
> С Мильонной раздавался вдруг . . . ***

Следует иметь в виду также, что в настоящее время без непосредственных, лично испытанных ощущений или полноты исторического опыта едва ли можно оценить всю необычную живописность того места в XXVII строфе первой главы «Евгения Онегина», где Пушкин описывает улицы Петербурга в зимнюю морозную ночь как бы из окна кареты, мягко катящейся по снегу:

> Перед померкшими домами,
> Вдоль сонной улицы рядами
> Двойные фонари карет

---

* См.: Н. П. Анциферов. Петербург Достоевского . . . Пб., 1922.

** А. С. Пушкин. Т. 5, с. 148.

*** Там же, т. 6, с. 25.

Веселый изливают свет
И радугу на снег наводят . . . *

Вдумаемся в эти удивительные стихотворные строки: «веселый свет» фонарей наводит на снег радуги только потому, что он проходит сквозь граненые стекла фонарей, светящих с обоих сторон кареты, у каждого окна, и заметить эти радуги было дано не каждому, кто ехал в подобной карете. В другом месте того же «Евгения Онегина» есть не менее поразительное место, подтверждающее остроту зрения великого русского художника:

На синих, иссеченных льдах
Играет солнце; грязно тает
На улицах разрытый снег . . . **

При всем своем лаконизме приведенные стихи необычайно живописны и требуют бытового комментария для того, чтобы мы смогли увидеть своими глазами солнечный луч, играющий в прозрачной синеве льда, «иссеченного» для потребностей жителей города.

Стоит отметить, что сопоставление художественного образа или целой разветвленной системы образов, складывающихся в особое произведение искусства, с теми явлениями или предметами материального мира, которые вызвали эти образы или произведения, представляет обоюдный интерес и значение как для понимания материальных явлений, так и для истолкования произведений искусства, которые пытались их воспроизвести.

Словесные ряды, создаваемые художником, не имманентны: путь к ним лежит вне их, в жизни, в исторической действительности. Тем не менее мы не должны забывать о преемственности и традициях искусства человеческого слова. Вглядываясь в наследие Пушкина, в той его малой «избранной области», которую представляет тема настоящей книги, мы сможем понять величие поэта и на тех страницах, которые посвящены им Петербургу.

Поставленный в исторический ряд писателей и поэтов, дававших обобщенные образы и пейзажи различных городов мира, Пушкин занимает среди них обособленное и почетное место. От Овидия, вспоминавшего изгнавший его в ссылку императорский Рим, до Гете, дававшего в своих «Римских элегиях» пейзажи того же города в иную эпоху его исторической жизни, трудно подыскать другого поэта, который, подобно Пушкину, давал бы не только архитектурные зарисовки, но и глубокое их историческое осмысление. С. Дурылин отметил однажды, что, «кроме «Собора Парижской богоматери» Гюго, в литературе не найдешь такого другого примера, когда архитектурный памятник не только становился центром литературного произведения, но являлся его важнейшим действующим лицом»***. Таким единственным в своем роде произведением представляется «Медный всадник» Пушкина, которое все целиком превращается в громадный архитектурный пейзаж Петербурга, развернутый в полноте тех трагических противоречий истории, среди которых был основан Петербург. Эта поэма сама является одним из лучших и совершеннейших памятников городу.

Думая о Пушкине как о «гении места» (genius loci) Петербурга, невольно вспоминаешь стихи первой из «Римских элегий» Гете, где он вопрошал Вечный город:

Камни, подайте мне весть, о молвите, гордые зданья!
Улицы, слова я жду! Гений, иль ты недвижим? . . ****

М. П. Алексеев

---

* Там же, с. 16.

** Там же, с. 185.

*** С. Дурылин. Отражение архитектуры в поэзии Пушкина. – Архитектура СССР, 1937, № 3, с. 37.

**** Гете. Собр. соч. в 13-ти т. Т. 1. М.–Л., “Academia”, 1932, с. 172.

1800 —1820-е годы

ПЕТЕРБУРГ рисовали много. Особенно много стали рисовать в начале прошлого века, когда возник живой интерес к «жанру» – изображению повседневных предметов и лиц. Петербургская архитектура, петербургские жители, петербургские события – благодаря своей характерности либо значительности – все чаще останавливали внимание художников. Иной раз по заказу, а иной раз бескорыстно увлеченные сюжетом, петербургские живописцы и рисовальщики принялись увековечивать для потомства черты юной северной столицы. И получился своеобразный портрет города. Его составили изображения и отдельных уголков Петербурга, и целых улиц на многометровых панорамах, изображения городских типов, уличных сценок, официальных торжеств, стихийных бедствий и жилых комнат с предметами домашнего обихода . . .

Когда в 1831 году Николай I заказал художнику Г. Г. Чернецову увековечить торжественный смотр гвардии, живописец решил собрать на своем полотне «весь Петербург», нарисовать коллективный портрет петербуржцев (разумеется, не всех, а только, по тогдашнему выражению, «лиц»). В картине «Парад на Царицыном лугу» Чернецов запечатлел, помимо безликих колонн пехоты и кавалерии, множество конкретных людей, в том числе участников парада – Николая I и его генералов. А на первом плане – толпу зрителей, более двухсот человек. Среди персонажей картины и шеф корпуса жандармов граф Бенкендорф, и начальник его штаба генерал Дубельт, и императрица в карете, и еще множество фигур – по большей части превосходительных и сиятельных.

В густой толпе не сразу находишь скромную фигуру Пушкина. В пестрой толпе светского Петербурга он часто бывал заслонен блестящими мундирами и великолепными нарядами. Но в исторической перспективе его фигура заслонила собою все прочие. Город с императорским двором, парадами, чиновными особами и обывателями, короче, все то, что называлось Санкт-Петербург, в потомстве – и уже навсегда – получило название по имени одного человека: пушкинский Петербург, Петербург Пушкина.

Более того, вся эпоха – два десятилетия русского XIX века – получила наименование пушкинской эпохи. Потому что все, что осталось от нее живым для последующих эпох и поколений, так или иначе связано с Пушкиным, с его судьбой и его поэзией. С Пушкиным вошел в отечественную литературу и этот новый герой, сразу ставший одним из самых значительных ее героев, – город Петербург.

Сегодняшнее восприятие Петербурга конца 1810-х – начала 1820-х годов неотделимо от пушкинской оды «Вольность», политических эпиграмм, ноэля «Сказки», первой и девятой глав «Онегина» . . . И любая черта жизни города – будь то спектакли в Большом театре или шумные сходки молодых вольнодумцев, барабанный бой казарм или тишина ночной Невы – тем интереснее для нас, чем более она пушкинская. Петербург тех лет – это город поэтов и вольнодумцев, город жизни широкой, высокоумной, блестящей. Это – боевые раны и заслуженные ордена, память славного 1812 года. Это – нетерпеливое желание свершить великие подвиги для блага ближних и отечества. Это город,

> Где ум кипит, где в мыслях волен я,
> Где спорю вслух, где чувствую живее,
> И где мы все – прекрасного друзья . . .

Точно так же своим восприятием, ощущением Петербурга конца 1820-х – 1830-х годов мы в огромной степени обязаны стихам и прозе Пушкина этого времени.

> Город пышный, город бедный,
> Дух неволи, стройный вид.
> Свод небес зелено-бледный,
> Скука, холод и гранит . . .

Два периода в истории пушкинского Петербурга, столь непохожие один на другой, разграничены трагическими событиями на Сенатской площади 14 декабря 1825 года.

Петербург юного Пушкина – город надежд, Петербург зрелого Пушкина – город разочарований. Там – восторженные порывы мечтателя, здесь – трезвый и проницательный взгляд мудреца. Там – праздничное ожидание, чаяние великих перемен. Здесь – темные будни, скучная, порой смешная, порой нелепая суета. Повседневный, «низкий» быт, который, однако, приобретает в глазах поэта черты неожиданные, фантастические. Потому что для Пушкина 1830-х годов даже и мелочное, бессмысленное на первый взгляд существование самых незаметных, маленьких людей тоже есть – наряду с грандиозными событиями, деяниями великих мужей, равно с ними – выражение того значительного, определяющего судьбы народов и государств, что именуется «историческим процессом». Выражение наиболее конкретное, вещественное и поэтическое.

И потому на петербургской площади поэт сталкивает как равноправных героев своей поэмы безвестного нищего регистратора и нечеловечески величественного бронзового царя. И потому певца Петербурга вдохновляют на звучные строфы не только «громады дворцов и башен», не только фигуры исторические, но и «у Покрова . . . смиренная лачужка», и невзрачная вдова-чиновница, и дочь ее Параша; предметом его классических октав становится судьба кухарки Феклы.

> Параша (так звалась красотка наша)
> Умела мыть и гладить, шить и плесть;
> Всем домом правила одна Параша,
> Поручено ей было счеты весть,
> При ней варилась гречневая каша
> (Сей важный труд ей помогала несть
> Стряпуха Фекла, добрая старуха,
> Давно лишенная чутья и слуха).
> . . . .
> Но горе вдруг их посетило дом:
> Стряпуха, возвратясь из бани жаркой,
> Слегла. Напрасно чаем, и вином,
> И уксусом, и мятною припаркой
> Ее лечили. В ночь пред рождеством
> Она скончалась. С бедною кухаркой
> Они простились. В тот же день пришли
> За ней и гроб на Охту отвезли.

Жизнь Петербурга была для Пушкина материалом художественного и философского исследования важнейших человеческих проблем. И вместе это был тот город, где поэт жил и в юности, и в зрелые годы, где январским днем 1837 года он был смертельно ранен на дуэли. Именно как герой Пушкина и как место действия великой повести его жизни столь часто привлекает наше внимание Петербург 1820–1830-х годов.

Художники, современники поэта, рисовали архитектуру и стаффаж, отдельные события и отдельных людей. Порою они достигали большого совершенства. И их картины, рисунки, гравюры, литографии – уникальные свидетельства о пушкинском Петербурге, а значит, и о Пушкине. Пусть отрывочные, субъективные свидетельства. Пусть они смогли отразить, по преимуществу, лишь внешнюю сторону жизни города. Но эту сторону они отразили разнообразно, ярко, зримо. Они позволяют нам заглянуть в прошлое, в Петербург Пушкина.

❀❀❀

Всех жителей Петербурга начала XIX века можно разделить на тех, для кого улицы города были лишь пространством между особняками, дворцами, канцеляриями, и тех, для кого и дворцы, и особняки, и канцелярии были лишь берегами улицы.

Господа по улицам проезжали. Иногда верхом, чаще в колясках, каретах. Выезды бывали великолепны: четверкою, а то и шестеркою, с форейторами на выносных, с высоченными гайдуками на запятках. Ливреи, обшитые серебряным и золотым галуном . . . Господа едва замечали, что делалось на улицах.

Между тем простой народ на улице жил. «Полночная столица», Петербург был как-то по-южному многолюден, шумен, пестр и не стыдлив. Было это странное противоречие следствием потрясающей неустроенности большинства петербуржцев. Неустроенность происходила не от бедности только, но, прежде всего, от того, что две трети горожан – две трети! – проживало в столице временно. В большинстве своем это были «лица крестьянского звания», прибывшие в город на заработки. Женщин среди них, согласно тогдашней статистике, была едва десятая часть. Мужик, оставив в деревне семью и дом, в городе, понятно, ютился кое-как. Собственно, ему нужен был лишь ночлег – и то в холодное время года. Часто он и ночевал, и обедал, и развлекался, и вел беседы с приятелями, и работал – на улице. Даже в торговых банях города отделения для простого народа имели лишь предбанники и парные – мылись под открытым небом, во дворе.

Разумеется, подобный образ жизни мужик мог вести в Петербурге лишь потому, что и у себя в деревне с детства приучен был к суровому, трудному существованию. Некоторые современники, однако, склонны были объяснять мужицкую неприхотливость исключительно особенностями национального характера. «Российский простой народ вообще легкого, веселого духа и беззаботного нрава, ведет естественный образ жизни без малейшего искусства, а потому и имеет мало потребностей, – говорит автор одного из первых описаний Петербурга и простосердечно сообщает: – Обоего пола люди поют при всех упражнениях, где рот их не занимается, даже и при наитруднейших работах, по одиночке или в обществе, в питейных домах, при пиршествах и пр. веселым духом, по большей части во весь голос».

Жизнь в Петербурге для пришлого мужика начиналась с поисков работы. Существовало несколько «рынков», где предлагали свои услуги специалисты едва ли не любой профессии. Плотники и каменщики собирались у Сенной площади. На Старо-Никольском мосту и вдоль Крюкова канала толпилась разного рода прислуга – начиная с кухарок и кормилиц и кончая почтенного вида камердинерами и лакеями с аттестатами. Поденные рабочие целые дни проводили у Синего моста на Мойке, у Казанского собора, у «Вшивой биржи», как называлось место на углу Невского проспекта и Владимирской улицы из-за многочисленных здесь уличных цирюльников.

С наибольшим правом жителями улицы можно было назвать, вероятно, рабочих-строителей. Барабан пробуждал город в пять часов утра, когда начинался день в казармах. Но в летнее время еще раньше, в четыре утра, выходили на работу строители. И трудились они до позднего летнего заката. Каждый год в городе возводили около сотни обывательских домов – каменных, обыкновенно в два-три этажа. На много лет, иногда десятилетий, растягивалось строительство казенных зданий: таких огромных сооружений, как новое Адмиралтейство, Главный штаб, Исаакиевский собор. Тут строительство порою шло и зимой; поскольку темнело рано, вечером работали при фонарях.

Петербургская улица . . .

Это, конечно, и мостовщики, сооружавшие мостовые, выкладывавшие на главных улицах каменные тротуары на месте деревянных. Это и каменотесы, одевавшие камнем берега Невы и каналов. Это и бурлаки, лодочники, матросы – ежегодно их приходило по Неве тысяч тридцать. Многие жили прямо на своих суденышках, часто в шалашах, в сколоченных наскоро домишках.

Нева была главной дорогой, связывавшей столицу со страной. И для сообщения внутри города петербуржцы весьма часто пользовались водным транспортом. Судов на реках и каналах было не меньше, чем экипажей на улицах. Только лодок, принадлежавших петербуржцам, в 1815 году насчитывалось 520, да к тому еще яликов 295, да вельботов 268.

Под удалые песни гребцов скользили по воде прогулочные лодки богатых бар – позолоченные, обитые бархатом, накрытые шелковыми палатками. Гребцы были в форменных мундирах, часто роскошных. Так, «гондольеры» князя Юсупова носили вишневого цвета куртки, богато отделанные, и шляпы с перьями. Красиво разодеты были и гребцы на лодках, принадлежавших Адмиралтейству. Дворцовое ведомство, министерства, полиция тоже содержали небольшие флотилии. От берега к берегу сновали лодчонки перевозчиков. Мостов в городе было мало, и только через Неву перевозили в двенадцати местах. Были перевозы на Малой Неве, Большой Невке, даже на Фонтанке – всего по городу больше тридцати. За перевоз через Неву платили четыре копейки, через каналы – одну копейку.

С уловом приплывали в город рыбаки. Пришвартованные к берегу стояли большие баржи – живорыбные садки. Особенно много было их на Мойке. Через отверстия в днище проточной водой заполнялся специальный чан, куда хозяин выпускал рыбу, скупленную у рыбаков. Свежую рыбу здесь можно было получить и летом, и зимой.

Бурлаки приводили в город баржи с зерном, дровами, сеном, кирпичом, тесом и иными товарами, потребными в больших объемах.

Едва ли не самым оживленным местом столицы был порт на стрелке Васильевского острова. Сюда предприимчивые купцы доставляли

Все, чем для прихоти обильной
Торгует Лондон щепетильный
И по Балтическим волнам
за лес и сало возит нам,
Все, что в Париже вкус голодный,
Полезный промысел избрав,
Изобретает для забав,
Для роскоши, для неги модной. . . .

На невском рейде стояли корабли из Англии, Голландии, Франции, Дании, Швеции. На узком пространстве между причалами и только что выстроенным зданием Биржи всегда толпился народ. Матросы и шкипера с иностранных судов торговали тут всевозможными экзотическими товарами – начиная от свежих устриц и кончая черными арапчатами.

На многолюдных, поражавших разнообразием типов и костюмов петербургских улицах самой заметной фигурой, насильно, так сказать, привлекавшей внимание окружающих, была все же фигура мужика-разносчика, «расхожего продавца». Сотни и сотни их – с лотками, с тележками, с подносами – оглашали торговые улицы города громкими возгласами:

– Сайки, сайки! Белые, крупчатые, поджаристые!

– Садовый, вареный, чернослив крупный! По грушу, по варену, по грушу!

– Прекрасные фиалы! Левкои, гвоздики, фалкомеры, ерани! Купите, барыня!

– Сахарны конфекты! Коврижки голландски! Жемочки медовы! Патрончики, леденчики!

– Пироги, пироги! С сазаниной, с сиговиной! С горошком, с луком! Кто бы купил, а мы бы продали!

На Садовой, на Гороховой, на Вознесенском, на Фонтанке бойко шла торговля вразнос сбитнем и апельсинами, дичью и рыбою, книгами и кухонной посудой, гипсовыми бюстами греческих философов и поношенной одеждой . . .

Столь же необходимой принадлежностью столичной улицы, как и неутомимые разносчики, были бесчисленные «ваньки», терпеливо дожидавшиеся пассажиров на каждом углу. Только специальных стоянок для извозчиков – бирж – насчитывалось больше трехсот. Путешественник, явившийся в русскую столицу в начале прошлого века, утверждал, что «извочичьи экипажи в С.-Петербурге гораздо многочисленнее, чем в самых больших городах Европы; улицы заставлены ими. По большей части извозчиками также были оброчные мужики, являвшиеся в город лишь на зиму. Часто селились они в Московской ямской слободе – возле Лиговского канала. Постоянные жители слободы еще с петровских времен обязаны были «править гоньбу», для чего выставляли по три лошади с каждой ревизской души. Некоторые ямщики открывали постоялые дворы и держали от себя извозчиков.

Автопортрет. 1820

Среди деревенских, населявших Петербург, особое место занимали жители Охтинской слободы. Крестьяне Московской и других губерний, переселенные на Охту в начале XVIII века, «охтинские поселяне», были причислены к Адмиралтейству «для корабельных работ». В свободное от нарядов по Адмиралтейству время поселяне занимались ремеслом и сельским хозяйством. «Столярное мастерство и продажа молока, – свидетельствует современник, – доставляют ныне значительные выгоды охтинским поселянам». И крупный, и мелкий рогатый скот держали жители всех районов Петербурга, даже центральных. Есть сведения, что в 1815 году в Петербурге насчитывалось 2570 коров, 234 теленка, 502 барана, 155 овец, 369 коз и 219 козлов. Но на Охте заниматься животноводством было особенно выгодно: охтинцы жили в деревне, хотя, в то же время, и в столице. Еще в 1820-х годах их избы стояли за городом, но уже с начала 1830-х годов оказались в Петербурге – Охта была официально включена в черту города. Охтинцы жили в двадцати-тридцати минутах ходьбы от Невского проспекта. Ходьба, правда, была возможна только зимою, по льду Невы. И зимою-то на городских улицах появилось особенно много молочниц-охтинок с коромыслом через плечо, на котором висели кувшины с молоком.

Что ж мой Онегин? Полусонный
В постелю с бала едет он:
А Петербург неугомонный
Уж барабаном пробужден.
Встает купец, идет разносчик,
На биржу тянется извозчик,
С кувшином охтенка спешит,
Под ней снег утренний хрустит.
Проснулся утра шум приятный,
Открыты ставни; трубный дым
Столбом восходит голубым,
И хлебник, немец аккуратный,
В бумажном колпаке, не раз
Уж отворил свой *васисдас*.

Перечисляя в этой строфе первой главы «Онегина» наиболее заметные и характерные фигуры столичной улицы, поэт не случайно упомянул и немца-хлебника в бумажном колпаке. Петербургские немцы составляли совершенно обособленную часть населения столицы. Немцев в городе было много больше, чем всех других иностранцев. В основном это были ремесленники и мелкие торговцы. Их легко было отличить на улице по говору и по платью. Немцы жили все больше на Васильевском острове, в Мещанских, в Гороховой. В Петербурге было несколько немецких церквей, немецких школ, был немецкий клуб и даже театр. Немцы держали в руках некоторые отрасли ремесла и торговли. В частности, немцам принадлежало большинство столичных булочных. Физиономия аккуратного немца-хлебника, беседующего через форточку с покупателем, – необходимая деталь в картине тогдашнего утреннего Петербурга.

Толчея, пестрота, разноязыкий говор . . . Из окон нарядных карет жизнь улицы, жизнь простого народа казалась бестолковой и сумбурной. А между тем за видимой бессмыслицей крылся иной, чуждый жизни «образованного общества», но по-своему важный значительный смысл. Даже в том, как мастеровой брался за работу, а «ванька» понукал свою клячу, в незатейливых прибаутках торговцев и передававшихся из уст в уста нелепых городских слухах часто угадывался этот своеобразный, собственно мужицкий взгляд на вещи. Внимательный наблюдатель петербургской жизни, отставной советник В. Н. Каразин 13 сентября 1820 года занес в свои «Дневные записки»: «Не всегда должно пренебрегать народными сказками. Сегодня Варвара Ивановна Шад сказывала, что носится площадной слух о явлении в Киеве святых (или мощей) во образе Семеновской гвардии солдат с ружьями, которые-де в руках держат письмо с надписью государю, держат крепко и никому-де, кроме его, не дают. Для того-де, что государь намерен, возвращаясь из чужих краев, ехать через Киев».

Как вскоре выяснилось, «площадной слух», действительно, заслуживал внимания. Мужики с Сенной площади, разносчики с Гороховой и Садовой оказались лучше осведомлены о положении дел в столице, чем высшие сановники империи. Сведения о серьезном брожении в гвардии, и в частности в Семеновском полку, своеобразно преломились в мужицких умах. Но сами по себе сведения были совершенно точны: несколько недель спустя после того, как Каразин записал «народную сказку», в октябре 1820 года, глухое недовольство вырвалось наружу и взрыв этот, предсказанный площадными политиками, столичные власти застал врасплох. Простонародный Петербург для светского Петербурга во многом был загадкой . . .

❀❀❀

Прежде чем появиться в дельте Невы, столица была задумана, предписана и вычерчена на бумаге. Не важно, что первоначальные петровские проекты не осуществили. Осуществили главное – построили город. Не дворцы, не дома, но город. Не здания, поднимаясь, образовывали улицы и площади, но стороны и границы вычерченных на планах улиц и площадей указывали место зданиям.

В архитектуре Петербурга не было пестроты и случайности, неизбежных тогда, когда город растет медленно, исторически складывается. Петербург не вырос, а «вознесся»:

Прошло сто лет, и юный град
Полнощных стран краса и диво,
Из тьмы лесов, из топи блат
Вознесся пышно, горделиво . . .

Городу повезло. Его строительством руководили великолепные мастера. Они сознавали, что делают общее дело.

Когда здание петербургской Биржи, строившееся по проекту одного из лучших зодчих эпохи Д. Кваренги, уже было подведено под крышу, стало ясно, что прекрасное само по себе здание не решает общей градостроительной задачи: поставленная на оконечности стрелки Васильевского острова, Биржа должна была стать композиционным центром величественной невской панорамы. Кваренги этого достигнуть не удалось. И почти готовое здание разобрали. Специальная комиссия, во главе которой стоял строитель Адмиралтейства А. Д. Захаров, руководила совершенствованием нового проекта, выполненного Т. де Томоном. Именно градостроительные задачи решали, именно о цельности, строгости и стройности образа Петербурга думали зодчие А. Н. Воронихин, В. П. Стасов, К. И. Росси.

Когда Пушкин написал:

Люблю тебя, Петра творенье,
Люблю твой строгий, стройный вид,
Невы державное теченье,
Береговой ее гранит . . .

– он не только выразил свое отношение к прекрасному облику Петербурга, но и дал точную формулу петербургской архитектуры. И в ней не случайно присутствуют и Нева, и «береговой гранит». Именно соседство камня и воды, строгой архитектуры и зыбкой ряби бесчисленных каналов, рек, речушек привносит живость и разнообразие в городской пейзаж, сообщает ему гармоничнось; именно сочетание «громад дворцов и башен» с державным простором Невы придает городу эту спокойную торжественность.

Гармоничный и торжественный Петербург – это, прежде всего, центральные площади города: Дворцовая, Сенатская, Царицын луг (Марсово поле). Это шеренга площадей, вытянутых вдоль Невы, рифмующихся своим мощным простором с мощной гладью реки. Окруженные царскими дворцами, государственными учреждениями, казармами, площади Петербурга были приготовлены для торжеств и парадов. По назначению они и служили . . .

> Люблю воинственную живость
> Потешных Марсовых полей,
> Пехотных ратей и коней
> Однообразную красивость,
> В их стройно зыблемом строю
> Лоскутья сих знамен победных,
> Сиянье шапок этих медных,
> Насквозь простреленных в бою.

Один из петербургских жителей, выражая чувства своих современников, писал: «Кто станет отрицать, что военные эволюции, как ни механическими нашей гражданской философии кажутся, пленительны; что это многолюдство, составляющее правильные фигуры, движущиеся и переменяющиеся одна в другую по одному мановению, как бы волшебным образом, что эта приятная и блестящая пестрота среди единообразия занимает глаза столь необыкновенно, как звук музыки и гром пушек слух . . .»

В Петербурге было кому совершать «военные эволюции». В столице и окрестностях квартировали пехотные гвардейские полки – Преображенский, Семеновский, Измайловский, Егерский, Московский, Гренадерский, Павловский, Финляндский. Кавалерийские гвардейские полки – Конный, Кавалергардский, Казачий, Кирасирский, Драгунский, Уланский, Гусарский. И еще – Гвардейский экипаж, лейб-гвардии Саперный батальон, гвардейская артиллерия – более ста орудий – и множество отдельных эскадронов, дивизионов, учебных частей. Всего – около пятидесяти тысяч человек. Из каждых десяти жителей Петербурга один-два таким образом были гвардейцами.

Не случайно, что среди изображений города той эпохи редко попадется такое, где бы не видно было в уличной толпе киверов, эполет, ружей, султанов.

Столь же часто среди штатских домов столицы виднеются здания гвардейских казарм. Некоторые районы города именовались полками, а улицы носили названия рот. Вполне штатский петербуржец свой адрес писал, например, так: «В Измайловском полку, в такой-то роте, в доме такого-то . . .»

И монументы на площадях Петербурга были (не считая двух памятников основателю города) воздвигнуты именно в честь фельдмаршалов: Румянцева-Задунайского, Суворова-Рымникского, позже – Кутузова-Смоленского и Барклая-де-Толли. По случаю возвращения гвардии из Парижа после победы над Наполеоном на Нарвском шоссе (Петергофской дороге) воздвигли триумфальную арку – сперва деревянную, затем из камня и металла – Нарвские ворота.

Встречали гвардию восторженно – с цветами и музыкой. Тысячи петербуржцев всех званий на улицах и площадях приветствовали героев.

А уже через несколько дней был отдан приказ по гвардейскому корпусу об учениях в полках. Затем пошли смотры. Парады. Опять учения. И опять парады.

Парады и смотры императорской гвардии действительно были зрелищем впечатляющим. Парады устраивали лишь в торжественных случаях – в день рождения императрицы, на Крещение, в годовщину вступления российских войск в Париж, по случаю приезда иностранных монархов. Бывали они грандиозны: на Царицыном лугу либо на Дворцовой площади выстраивали двадцать-тридцать тысяч пехоты и конницы. Придерживались определенного распорядка – сперва торжественный молебен, затем преклонение знамен, бой барабанов, «музыка всех полков и трубы кавалерии», церемониальный марш. Даже зимою солдаты маршировали на смотрах и парадах в одних мундирах. Если случалось более десяти градусов мороза, то к месту парада следовали в шинелях, а затем снимали их и складывали позади фронта.

Смотры назначались регулярно. То какому-нибудь одному полку, то сразу нескольким. На смотрах войска производили движение колоннами «дробных частей батальонов и рот» и колоннами походною и «к атаке». Строили каре – против кавалерии и против пехоты. Каре производили все движения подобно колоннам, то есть части солдат приходилось идти боком, а части – пятиться. Совершенно балетный вид имело движение, называвшееся «прохождение сквозь линии». Батальоны, стоявшие в затылок друг другу, менялись местами – один батальон проходил сквозь другой. О выучке солдат можно составить представление по такому, например, отзыву великого князя Константина Павловича – большого знатока фронтового дела – насчет смотра одного из гвардейских полков: «Необычайная тишина, осанка, верность и точность беспримерны, маршировка цельным фронтом и рядами удивительны, а в перемене фронта взводы держали ногу и шли параллельно столь славно, что должно уподоблять движущимся стенам и вообще должно сказать, что не маршируют, но плывут и словом чересчур хорошо и право славные ребята и истинные чада российской лейб-гвардии».

Александр I

Не меньше времени и сил, чем парады и смотры, отнимала у гвардейцев караульная служба. Караульных постов в Петербурге было множество – только по первому отделению назначались караулы в Адмиралтейскую крепость, на Петровскую (Сенатскую) площадь, на главную гауптвахту в Зимнем дворце, в Аничков дворец, в комиссариатское депо, в губернские присутственные места, в Новую Голландию, в Ассигнационный банк, в Воспитательный дом, на Сенную площадь . . . Всего же караульных отделений было по городу пять. Поэтому одним и тем же полкам приходилось заступать в караул через каждые семь–десять дней. Разводы караулов, за которыми наблюдало высшее начальство, происходили также «с церемонией».

Каждодневно – кроме конца лета, когда солдаты уходили на «вольные работы» либо в отпуск, – происходили учения войск. Иногда «домашние» – перед казармою, в манежах, иногда на одном из обширных городских полей – Марсовом, Волковом, Смоленском. Зимою часто случалось, что одну роту какого-нибудь полка вели во дворец и учили в большой дворцовой зале под наблюдением самого императора. Внимание обращали не только на солдат, но и на офицеров, от которых требовалось «вытягивать ноги, держать надлежащий такт по музыке, сохранять приличную фронту осанку и соблюдать равнение в держании шпаг».

Собственно военной подготовкой занимались мало. Руководствовались мнением, что «война портит солдат». Даже самые рьяные приверженцы шагистики, включая самого императора, безусловно понимали, что умение безукоризненно совершать «эволюции», стоять по стойке «смирно», маршировать, выбрасывая ноги под определенным углом и так прямо держать при этом корпус, чтобы полный стакан воды, поставленный на кивер, не расплескался, – ни в какой степени не пригодится солдату на поле сражения. Но украшенный незаслуженными лаврами победителя Наполеона Александр I мог более не тревожиться о безопасности русских границ – она была обеспечена на несколько десятилетий вперед. Российского императора занимало теперь иное.

Уже упоминавшийся петербургский житель В. Н. Каразин, человек отнюдь не прогрессивных взглядов, но тем не менее мысливший критически, в свои «Дневные записки» под 17 марта 1817 года занес: «Вчера был у нас разговор о пристрастии государя к строям и учению войск. Кто-то (уже не помню) уверял, будто его величество в Царском Селе иногда по целому дню бьется над солдатом (одним, порознь), обучая лично; и так далее. Я не мог не улыбнуться . . .»

Но пристрастие Александра I к муштре – так же, как и подобное пристрастие его отца и младших братьев, – вовсе не было причудой или манией. Оно было следствием безусловной необходимости. Необходимости для самодержавного режима постоянно опираться на вооруженную силу. Гвардия должна была не столько воевать, сколько охранять императора, охранять его столицу, охранять существующий порядок. Гвардия должна была нести службу полицейскую, карательную. И потому главным, что требовалось от гвардии в целом и от каждого солдата в отдельности, было послушание. Беспрекословное, бездумное, совершенно механическое подчинение любому приказу.

Под Смоленском и под Бородином, под Кульмом и под Лейпцигом волей-неволей приходилось взывать к храбрости, патриотизму, великодушию солдата. Теперь же царю нужны были не защитники отечества, но лишь «живые орудия», нужен был безотказный инструмент власти. Его и создавал для себя Александр I.

Верным помощником царя в этом деле был граф Аракчеев.

Всей России притеснитель,
Губернаторов мучитель,
И Совета он учитель,
А царю он – друг и брат.
Полон злобы, полон мести,
Без ума, без чувств, без чести,
Кто ж он? Преданный без лести,
. . . грошевой солдат.

Характеризовать образ мышления Аракчеева, «грошевого солдата», можно одним лишь его распоряжением, изданным в селе Грузине, собственной графской вотчине: «У меня всякая баба должна каждый год рожать, и лучше сына, чем дочь. Если у кого родится дочь, то буду взыскивать штраф».

Непоколебимую уверенность в том, что требования человеческой природы и здравого смысла должны отступать перед приказаниями начальства, Аракчеев призван был внушать всем российским подданным.

Однако удавалось это ему не всегда. Аракчеевщина встречала сопротивление. Дело дошло до солдатского бунта . . .

Взбунтовался лейб-гвардии Семеновский полк. Взбунтовался против своего командира полковника Шварца.

Шварц этот был назначен командовать семеновцами в начале 1820 года по рекомендации Аракчеева. Полковник Шварц был известен за человека грубого и жестокого. Но не эти качества, свойственные многим тогдашним офицерам, сделали имя Шварца достоянием истории. Пороком, прославившим полковника, была его исполнительность. В стремлении буквально следовать воле начальства Шварц не знал удержу, в своем служебном рвении доходил до абсурда, что едва не погубило его самого и едва не пошатнуло устои Российской империи.

И без того прекрасно обученный Семеновский полк Шварц задался целью довести до совершенства невероятного. Он запрещал солдатам не только шевелиться, но даже и чихать и кашлять во фронте. Не довольствуясь беспрерывными учениями на плацу, Шварц ежедневно забирал по десяти солдат к себе домой и учил «своеручно». Несчастным приходилось часами стоять неподвижно. Неспособным полковник завязывал ноги в лубки. Щипал, дергал за усы, колол вилками. Шварц не отпускал солдат не только на заработки – что было в обычае, – но даже и по воскресеньям в церковь. Вместе с тем он заставлял рядовых тратить собственные деньги на покупку и чистку амуниции, на фабру для усов. Усы у всех солдат должны были выглядеть совершенно одинаково. Тем, у которых усы росли плохо, Шварц предписал приклеивать фальшивые. От клея, однако, на лице появлялись болячки. Взгляд на солдата как на своего рода живую куклу Шварц претворил на практике с какой-то наивной бездумностью.

Характерен самый инцидент, послуживший поводом к возмущению солдат.

«. . . Во время ученья, – гласит военно-судебное дело, – когда не был еще сведен полк и роты учились отдельно, 2-я рота, кончив ружейные приемы, стояла вольно. Ротный командир, увидя приближающегося полковника, скомандовал «смирно!» При этом один из рядовых (Бойченко), исполнявший естественную надобность, стал во фронт, не успев застегнуть мундир. Тогда Шварц, подбежав к нему, плюнул ему в глаза, потом взял его за руку и, проводя по фронту первой шеренги, приказывал рядовым, на него, Бойченко, плевать . . .»

Это было 16 октября 1820 года. Вечером того же дня, несмотря на уговоры фельдфебеля, солдаты головной, «государевой роты» самовольно выстроились в коридоре казармы и вызвали ротного командира капитана Кошкарова. Выслушав солдат, Кошкаров пообещал доложить по начальству их жалобу на Шварца. На следующий день в полк приехал генерал Бенкендорф и великий князь Михаил Павлович. «Государева рота» снова принесла жалобу на полкового командира. Солдаты требовали изменить порядки в полку. Великий князь уговаривал солдат одуматься и прекратить своеволие. Но семеновцы твердо стояли на своем.

Первую роту без оружия отвели в манеж, там арестовали и отправили в Петропавловскую крепость. Тогда возмутился весь полк. Солдаты заявили, что без головной роты служить не хотят, и требовали возвратить товарищей. Начальство растерялось; прочие гвардейские полки сочувствовали семеновцам, можно было опасаться, что взбунтуется вся гвардия. Остаток дня прошел в бездействии. Ночью семеновцы искали Шварца, чтобы убить его, но не нашли.

18 октября, подведя к Семеновским казармам наиболее надежные Егерский и Конногвардейский полки, арестовали и повели в крепость остальных семеновцев. Петербург увидел страшное зрелище: без оружия, под конвоем шли по улицам молодцы-гвардейцы. «Куда вы?» – спрашивали встречные. – «В крепость». – «Зачем?» – «Под арест». – «За что?» – «За Шварца».

Долгое время Петербург пребывал под впечатлением семеновской истории. В правительственных кругах царило настроение, близкое к панике. «Мы тогда жили точно на биваках, – рассказывал впоследствии гвардии полковник и поэт Федор Глинка, служивший в 1820 году при петербургском генерал-губернаторе. – Все меры для охранности города были взяты. Через каждые $^{1}/_{2}$ часа (сквозь всю ночь) являлись квартальные; через каждый час частные пристава привозили донесения изустные и письменные. Раза два в ночь приезжал Горголи; отправляли курьеров; беспрестанно рассылали жандармов, и тревога была страшная». Так продолжалось несколько недель.

Восемь солдат Семеновского полка – «зачинщики» – были прогнаны через строй: шесть раз сквозь батальон. Тех, что выжили, отправили в рудники. Семеновский полк был расформирован, солдаты и офицеры разосланы по отдаленным армейским полкам.

А вскоре на царских смотрах уже вышагивали солдаты другого, нового Семеновского полка. Опять безукоризненная выправка и балетная ловкость веселили глаз. Неприятную историю постарались предать забвению.

Но семеновцев помнили. И с аракчеевскими порядками мириться не хотели. Не одни солдаты, но и многие офицеры.

Грандиозным площадям Петербурга суждено было стать не только местом смотров и парадов гвардейских полков, но и местом их восстания . . .

❀❀❀

«Москва девичья, а Петербург прихожая», – сказал Пушкин. Определение шутливое, но тем не менее точное. Помимо прочего, Петербург был еще и прихожей. Может быть, прежде всего был он прихожей всероссийского барина. И потому-то здесь во множестве толпились просители. И потому-то здесь чуть ни на каждом шагу встречались императорские управители и писаря – чиновники.

«После восьми часов, – говорит автор описания Петербурга, – на улицах появляются совершенно новые лица, во фраках, сюртуках, плащах, измятых шляпах, старых шинелях, с пакетами и свертками бумаг: это разряд канцелярских чиновников, ходящих много и далеко, навстречу и мимо них торопливо идут и едут мещане, приказчики и обширный класс просителей всякого звания. Через несколько минут шум дрожек и маленьких колясок становится слышнее – чиновники ездящие отправляются к должностям . . . Бьет десять; вот время, в которое начинается жизненная деятельность мужской половины жителей, в которое передние и приемные тех, которые принимают и у которых просят, полны; а дома тех, которые просят, пусты; с десяти часов утра ожили вчерашние дела, страсти, тяжбы, торги и проч.»

Петербург был центром управления империей. Управления многосложного и запутанного.

Высшим совещательным местом в империи был Государственный совет. Он имел председателя и подразделялся на четыре департамента. При Государственном совете состояли Комиссия прошений, подаваемых на высочайшее имя, Государственная канцелярия и Канцелярия комитета министров. Комитет этот был призван во время отсутствия императора решать все дела, «разрешение коих превышает предел власти, вверенной каждому министру». Министерств было семь: военное, морское, иностранных дел, внутренних дел, финансов, юстиции, народного просвещения. Каждое министерство подразделялось на департаменты; департаменты, в свою очередь, – на отделения, отделения – на столы. При каждом министре существовал министерский совет, а также канцелярия. Кроме министерств, делами государства управляли всевозможные коллегии, комитеты . . .

Высшей служебной инстанцией в империи был Правительствующий Сенат. Ему подчинялись все присутственные места, он наблюдал за отправлением правосудия, разбирал апелляции и, кроме того, ревизовал губернии. Тяжбы между жителями – в зависимости от их сословной принадлежности – разбирали уездный, надворный и земский суды в первой инстанции и губернское правление, казенная палата и уголовный и гражданский суды – во второй инстанции.

Во главе исполнительной и судебной власти стоял царь. Он же был единственной законодательной властью в стране.

В издевательском ноэле Пушкина «Сказки» царь Александр I обещает подданным:

«. . . Закон постановлю на место вам Горголи
И людям я права людей,
По царской милости моей,
Отдам из доброй воли».

Горголи был петербургским обер-полицмейстером. Место закона мог он занимать потому, что законов – определенной системы обязательных установлений – в России не было. Цари управляли страной посредством высочайших повелений, именных указов, рескриптов и распоряжений. Каждый царский указ и становился законом. Впредь до нового, отменявшего прежний или противоречившего ему. Один за другим летели из Петербурга эти указы по всему пространству империи – от Польши в Европе до Аляски в Америке. Право царя вмешиваться в деятельность любого учреждения, изменять и отменять любые постановления и приговоры низводило даже высших сановников до роли безгласных исполнителей. И не случайно в павловское царствование влиятельнейшим человеком стал императорский камердинер, а впоследствии граф и обер-шталмейстер Кутайсов, а в александровское – заурядный армейский офицер Аракчеев, умевший уверить царя в своей безграничной преданности и выбравший своим девизом слова: «Без лести предан».

Приемная графа Аракчеева была, несомненно, характернейшим уголком петербургской прихожей. Будучи назначен Александром I «для доклада и надзора по делам комитета министров», Аракчеев вмешивался и в дела всех других учреждений.

Приехавшая в Петербург просительница сообщала родственникам: «. . . а насчет дел, кажется, ни по каким ничего не будет. Государя нет и, думаю, прежде 6 января не будет. Аракчеев нездоров и все дела сдал». За отсутствием императора и болезнью Аракчеева течение дел останавливалось.

Аракчеев жил в казенном доме на углу Литейной и Кирочной. Вставал он по-военному рано – просителей принимал с четырех часов утра. Возле дома Аракчеева постоянно стояли кареты министров, членов Государственного совета, сенаторов. Почти невозможно было добиться аудиенции у царя, не побывав в графской прихожей. Даже Н. М. Карамзину, когда он захотел говорить с Александром I, пришлось прежде поехать сюда на поклон. Прихожая требовала умения кланяться . . .

В роли просителей появлялись в Петербурге скромные мещане и важные господа, барские крестьяне и послы соседних держав. Европейские монархи присылали русскому царю жалобы на собственные народы.

На политической сцене Европы после падения Наполеона Александру I досталась ведущая роль. Потому что именно русские войска нанесли решающее поражение «великой армии».

Мы очутилися в Париже,
А русский царь главой царей.

После войны Александр I всеми силами старался сохранить за собой положение вершителя судеб Европы. Он был инициатором Священного союза – соглашения монархов о совместной борьбе с подрывными силами. Именно Александр играл главную роль на «конгрессе государей» в Троппау и Лайбахе, где было принято решение выступить в защиту неаполитанского короля Фердинанда IV, которого революционеры принудили дать стране конституцию. В Италию были посланы австрийские войска, в помощь им русский корпус. Полки гвардии выступили из Петербурга летом 1821 года. Этот «итальянский поход» русской гвардии закончился уже в Вильне – австрийцы обошлись собственными силами, но важно, что русский царь без дальних размышлений приказал своим гвардейцам идти стрелять в жителей Неаполя . . . Александр I был главным действующим лицом и на конгрессе в Вероне, где монархи договорились об интервенции в революционную Испанию. Он пытался даже организовать экспедицию против молодых республик Латинской Америки.

Русский царь старательно исправлял должность международного полицмейстера, а его столица стала центром, где сходились нити многих дипломатических интриг, пересекались интересы всех европейских государств.

В длинном двухэтажном здании на Английской набережной помещалась Коллегия иностранных дел.

В 1814 году Александр I поставил во главе иностранного ведомства двух статс-секретарей, которые дважды в неделю являлись к нему для доклада по делам Коллегии.

Один из статс-секретарей, немец Карл Нессельроде, был исполнительным и деятельным чиновником. Другой, грек Иоанн Каподистрия, отличался государственным умом, просвещенными понятиями и образованностью.

Иностранные дипломаты, приезжавшие в Петербург, первым делом являлись к статс-секретарю Нессельроде, жившему на Невском проспекте возле Аничкова дворца. Пробыв некоторое время в русской столице, они обыкновенно старались завязать знакомство и со статс-секретарем Каподистрией, которого царь поселил в бывших покоях государственного канцлера графа Румянцева на Дворцовой площади. «Господин Нессельроде, – сообщал в Париж французский поверенный в делах, – обыкновенно связан с дипломатическим корпусом и ведет официальные беседы, но ничего сегодня не делается без господина Каподистрия, у которого тайком получают частную аудиенцию». Многие из русских посланников за границею, направляя донесения Нессельроде, вели еще частную переписку с Каподистрией.

И. А. Каподистрия

При этом графу Нессельроде поручено было ведать западными делами, Каподистрии – восточными.

Коллегия иностранных дел была одним из самых многолюдных учреждений Петербурга. Именитое русское дворянство, столичные аристократы любую гражданскую службу почитали для себя зазорной – молодому дворянину приличествовало носить военный мундир. Исключением была лишь дипломатическая карьера. И молодые люди «хороших фамилий», те, что не могли или не хотели служить в армии, поступали в коллегию. Едва ли не большинство чиновников коллегии лишь числилось на службе, ровным счетом ничего не делая и не имея надежд на завидные чины. «Похлопочи, чтоб тебя перевели, – советовал вельможа князь П. В. Лопухин молодому дипломату, своему знакомому, – . . . а то в Коллегии столько вас, что ни до чего не добьешься».

Чиновники, числившиеся в коллегии, но не служившие, именовались «состоящими при разных должностях». В разряд не служивших чиновников коллегии попал и восемнадцатилетний выпускник Царскосельского лицея Александр Пушкин.

Нельзя сказать, что вновь зачисленный переводчик коллегии вовсе не интересовался заграничными делами. Напротив, он следил за ними весьма внимательно. Особенно за тем, что происходило в Испании, Неаполе, Пьемонте, а потом он не шутя хотел бежать в Грецию и, подобно Байрону, сражаться в рядах повстанцев. Но быть дипломатом, чиновником, быть одним из тех, кто «хитрости рукой переплетает меж собой дипломатические вздоры», отнюдь не стремился. И о своем августейшем шефе «14-го класса Александр Пушкин» написал:

Воспитанный под барабаном,
Наш царь лихим был капитаном:
Под Австерлицем он бежал;
В двенадцатом году дрожал,
Зато был фрунтовой профессор!
Но фрунт герою надоел –
Теперь коллежский он ассессор
По части иностранных дел!

❀❀❀

К началу 1820-х годов территория Петербурга делилась на двенадцать административных частей. Это были Адмиралтейские части – 1-я, 2-я, 3-я и 4-я, Литейная, Московская, Рождественская, Каретная, Нарвская, Васильевская, Петербургская и Выборгская. Как по внешнему виду, так и по составу населения части города чрезвычайно отличались одна от другой.

В окраинной петербургской части, например, на две тысячи деревянных домов приходилось едва полсотни каменных. Здесь жили, главным образом, мелкие чиновники, мещане – владельцы маленьких домов и больших огородов.

В Нарвской и Выборгской частях каменных домов было еще меньше, чем в Петербургской. Селились здесь фабричные мастера, сезонные рабочие и прочий трудовой люд.

На Васильевском острове жили все больше ремесленники, по преимуществу иностранные. Жили купцы, ученые, художники, учителя, студенты.

В 4-й Адмиралтейской части, включавшей район города, известный петербуржцам под именем Коломны, селились отставные чиновники, обедневшие дворяне, вдовы, живущие на небольшую пенсию . . . «Левый берег Фонтанки и части как за ним, так и за Крюковым каналом лежащие, составляют место жительства среднего состояния; это столица умеренности и спокойствия . . . – говорит современник и, сравнивая Коломну с цен-

Игрок на бильярде

тром Петербурга, продолжает: – В бельэтажах здешних домов не бывает роутов; на кухнях нет ни метрдотелей, ни повара; есть лавки, но нет магазинов; по улицам не только гуляют, но и ходят пешком; здесь встают – когда там еще спят; обедают, когда там начинаются утренние визиты, и ложатся спать – когда там только собираются к вечерним визитам».

Коломна начиналась в двух шагах от центра столицы, но жизнь здесь текла медленно и сонно, как в провинции.

. . . мяуканье котов
По чердакам, свиданий знак нескромный,
Да стражи дальний крик, да бой часов –
И только. Ночь над мирною Коломной
Тиха отменно . . .

Парадный центр города составляли кварталы 1-й и 2-й Адмиралтейских частей, несколько кварталов 3-й Адмиралтейской, Васильевской и Литейной частей. Здесь каменные строения решительно преобладали над деревянными. В 1-й Адмиралтейской части, где насчитывалось около трехсот каменных домов, деревянных не было вовсе. Здесь с начала XVIII века строили свои дворцы и особняки петербургские аристократы и богачи. Их частные дома определяли физиономию столичных улиц не в меньшей степени, чем здания общественные. Такие сооружения, как Адмиралтейство, перестроенное в 1806–1823 годах по проекту А. Д. Захарова, или мощное здание Казанского собора, возведенное в 1800–1811 годах по проекту А. Н. Воронихина, по самому своему характеру должны были занять доминирующее положение в архитектурном пейзаже Петербурга. Но только при наличии великолепного архитектурного фона, многочисленных жилых домов, чьи создатели в высокой степени обладали чувством стиля, мог возникнуть образ прекрасного города на невских берегах.

Общество в гостиной

В центре Петербурга жили аристократы, крупные чиновники, богатые купцы. Здесь же, но только в первых этажах, на чердаках и в подвалах, обитали многочисленные торговцы и ремесленники. Причем ремесленники определенных профессий и торговцы определенными товарами.

Так, из 45 бриллиантщиков, числившихся в Петербурге в конце 1810-х годов, 42 квартировали в трех Адмиралтейских частях. Из 66 петербургских часовщиков здесь же проживали 50. Из 24 перчаточников - 20. В трех Адмиралтейских частях насчитывалось 240 портных, тогда как в девяти других частях города – 163. Из 54 петербургских модных магазинов в Адмиралтейских частях разместилось 48. Из 45 переплетных мастерских – 35. Здесь жили 55 повивальных бабок из 78. Но только 12 гробовщиков из 46.

Жизнь трудового Петербурга определялась жизнью Петербурга праздного.

Центром, вокруг которого сосредоточивалась материальная деятельность петербуржцев, стала дворянская гостиная – парадные комнаты и залы барских квартир и особняков.

Основным времяпрепровождением светского человека были разъезды по гостям и приемы гостей – с утра и до вечера. Гостиная была той комнатой, где проводили более всего времени.

С утренними визитами отправлялись в десять-одиннадцать часов утра. Заезжали без приглашения и ненадолго: справиться о здоровье, о новостях, заодно попросить о местечке для родственника. В эти часы можно было рассчитывать застать хозяина с глазу на глаз, зато хозяевам позволялось принимать гостей в неглиже, в домашнем уборе.

К обеду все являлись уже одетыми. В домах богатых и хлебосольных бар за стол всякий день садилось человек двадцать-тридцать, а то и более. Обедали в три-четыре часа пополудни.

После обеда снова одевались и отправлялись в театр . . .

В гостиных, составлявших петербургский большой свет, принимали по вечерам, и обыкновенно всякий вечер.

Провинциалка, попавшая в столичный свет, рассказывала в письмах к родственникам: «В 8 часов опять начала одеваться. Туалет вчерашний . . . Вот мы приехали, множество, конечно, незнакомого народу; поздоровалась с княгиней и потом села около пожилой дамы, очень любезной, и начала разговаривать. Княгиня мне сказала, что ожидала нас вчера, потом m-me Новосильцева – она была там – сказала: «Я имела об вас известия через m-me Кикину, мы вместе ездили смотреть дворец великого князя Михаила». И конечно некоторое время только об этом и была речь. Наконец княгиня спрашивает карт и устраивает партию. Сергей, m-me Новосильцева, генерал Комаровский и княгиня стали играть вместе; предложил мне партию в вист, я сказала, что играю, но не более как на 10 руб. робер. Все же устроили партию . . . В это время прибыло по крайней мере 100 человек, прибыло и уехало; вот как устроены кружки. Огромный диван, в углу сидит княгиня и тут же карточный стол, как взойдут, подойдут к самой княгине, поклонятся, только не целуются, что я нахожу очень хорошо; потом подходят к столу, где сидит графиня Строганова, которая на другом конце дивана с работой, и все, кто часто бывают в доме, то есть девицы. Тут выбирают кружок, какой угодно, или около княгини, или около графини, ежеминутно снуют взад и вперед. Я, кажется, сегодня видела часть жителей Петербурга . . . Как наряжаются здесь на вечера, я вас уверяю, что как можно было бы ехать на бал, все барышни с прическами, дамы в чепцах, почти никого в шали, все маленькие косынки из блонд, дамы 50 и 60 лет одеваются так же . . .»

Необходимость к вечеру быть одетой иначе, чем к обеду, а к балу иначе, чем к вечеру, необходимость следить за модой, необходимость появляться чуть не всякий день в новом наряде, необходимость за один сезон сменить несколько салопов, шуб и т. п. была источником волнений, переживаний и хлопот, создавала иллюзию деятельности, порождала «суету столицы праздной».

Своим туалетом всерьез занимались не только женщины, но и мужчины:

. . . Евгений,
Боясь ревнивых осуждений,
В своей одежде был педант
И то, что мы назвали франт.
Он три часа по крайней мере
Пред зеркалами проводил
И из уборной выходил
Подобный ветреной Венере,
Когда, надев мужской наряд,
Богиня едет в маскарад.

Смотрами самых дорогих, самых причудливых и роскошных нарядов, прежде всего, конечно, дамских нарядов, были балы.

«Мы приехали, когда было еще мало народу, и мы это сделали нарочно, чтобы приехать раньше великой княгини. Стали приезжать. . . Собралось все, что было изящного, важного, в больших нарядах, все фрейлины и дамы при знаках, почти все причесаны с цветами и с marabout на голове. Платья из розового или малинового крепа на атласе, платья петинетовые также на атласе, платья белые креповые на перкале с цветочными гарнитурами; много бриллиантов, и эффект модных дам – это бриллиантовые аграфы или изумрудные или же из других камней. Это большая пряжка с панданами, которую кладут по середине груди, что очень хорошо выходит; потом волосы сзади собирают кверху большой буклей, а в середине они также привязываются пряжкой. Это очень красиво, гарнитура высокая, их делают на все фасоны, это очень красиво. Наконец, в 10 часов приехала великая княгиня Александра с мужем ⟨. . .⟩ Музыка заиграла, пошли польским в танцевальную залу. Зала не великая, и было очень тесно. Что касается меня, то я на первое найденное место сéла и с него не сходила до ужина, потому было бы рискованно, трудно было бы отыскать потом другое ⟨. . .⟩ После польского начали вальс: здесь очень долго вальсируют с тем же кавалером, делают два тура и потом отдыхают. Великая княгиня вальсировала с графом Строгановым, женатым на графине Строгановой, флигель-адъютантом государя, потом танцевали английский вальс; она его не танцевала, потом котильон ⟨. . .⟩ После ужина тотчас же начали снова танцевать; мазурка с более чем 20 парами и потом галоп ⟨. . .⟩ Когда вернулись домой, было 4 часа». Это тоже строки из частной переписки.

Во дни веселий и желаний
Я был от балов без ума:
Верней нет места для признаний
И для вручения письма.

«Первая глава представляет нечто целое, – писал Пушкин в предисловии к первой главе «Онегина». – Она в себе заключает описание светской жизни петербургского молодого человека в конце 1819 года . . .»

Двадцатилетний юноша, Пушкин в это время сам был завсегдатаем петербургского света. Из «хорошей семьи», воспитанник Царскосельского лицея, причисленный к Коллегии иностранных дел, Александр Пушкин был радушно принят в доме графа Лаваля, у княгини Голицыной, у графа Бутурлина.

Особенно часто его видели в салоне Е. И. Голицыной. «Дом ее, на Большой Милионной, – вспоминал П. А. Вяземский, – был аристократически украшен кистью и резцом лучших из современных русских художников ⟨. . .⟩ По вечерам немногочисленное, но избранное общество собиралось в этом салоне ⟨. . .⟩ Можно было бы сказать – собирались в полночь. Княгиню прозвали в Петербурге la Princesse Nocturne (княгиня Ночная). Впрочем, собирались к ней не поздно, но долго засиживались. Княгиня не любила рано спать ложиться, и беседы длились обыкновенно до трех и четырех часов утра».

На первых порах Пушкин не без успеха играл роль светского денди. Но – только на первых порах. У него были все светские таланты – он был живым, остроумным, умел быть приятным и любезным, но не было главного – способности не выделяться из толпы. На нем не было того клейма посредственности, без которого принадлежность к большому свету не могла считаться подлинной.

Лицейский товарищ Пушкина А. М. Горчаков, также определившийся в Коллегию иностранных дел, усердно служивший и, в конце концов, сделавший блестящую карьеру – к старости он стал канцлером, – любил повторять: «Не кажитесь никогда ни более мудрым, ни более ученым, нежели те, с кем вы находитесь». Если не довелось родиться посредственностью, то кажись ею – таков был закон гостиных.

Пушкин этого не умел. Да он и не желал скрывать свой блистательный, колкий, беспощадный ум. Свое дерзкое вольномыслие. Он позволял себе «неприличные» замечания, писал еще более «неприличные» эпиграммы, и уж совсем «неприличной» была его громкая известность. Шутка сказать – его имя твердили чуть ли на каждом петербургском перекрестке, повторяли чуть не в каждом доме, трепали чуть не в каждом доносе. Понятно, такое не могли одобрить в светских гостиных. В тех гостиных,

Где ум хранит невольное молчанье,
Где холодом сердца поражены,
Где Бутурлин – невежд законодатель,
Где Шепинг – царь, а скука – председатель,
Где глупостью единой все равны.

И, как водилось, распустили злобную сплетню . . .

Как роскошные наряды, как веселая музыка, как ломберные столики для карточной игры, сплетни были необходимою принадлежностью всякой светской гостиной. Иногда сплетничали добродушно, чтобы только почесать языки, но чаще выдумывали ядовитые небылицы с намерением опорочить, уронить в глазах света или поднять на смех жертву клеветы.

Ф. Н. Глинка рассказывал: «. . . глупые люди (ибо злость есть глупость) распускали обо мне молвы – с одной стороны, что я опасный шпион, и меня уже во многих порядочных домах стали принимать иначе, с другой стороны, что я (зачитавшись библии) сошел с ума».

О Пушкине сочинили, что будто бы за дерзкие стихи он был в собственной его величества канцелярии «секретно наказан». Так же, как и выдумка о чьем-либо сумасшествии, это была стереотипная сплетня – незадолго до того то же самое рассказывали, к примеру, про Н. И. Греча, прослывшего в начале 1820-х годов отчаянным либералом. «Необдуманные речи, сатирические стихи обратили на меня внимание в обществе, – писал Пушкин в черновом письме на имя Александра I, – распространились сплетни, будто я был отвезен в тайную канцелярию и высечен. До меня позже всех дошли эти сплетни, сделавшиеся общим достоянием, я почувствовал себя опозоренным в общественном мнении, я впал в отчаяние, дрался на дуэли – мне было 20 лет в 1820 ⟨году⟩ – я размышлял, не следует ли мне покончить с собой или убить – В⟨аше Величество⟩. В первом случае я только подтвердил бы сплетни, меня бесчестившие, во втором – я не отомстил бы за себя, потому что оскорбления не было . . .»

А. Н. Оленин

На злословие светских гостиных поэт ответил еще более острыми шутками, еще более смелыми стихами. И – презреньем.

Я помню их, детей самолюбивых,
Злых без ума, без гордости спесивых,
И, разглядев тиранов модных зал,
Чуждаюсь их укоров и похвал! . .

После, уже в зрелые годы поэта, петербургские гостиные и бальные залы часто, очень часто видели его в своих стенах. Но столичный большой свет так никогда и не смог признать его своим.

❀❀❀

Поэт П. А. Вяземский назвал вечера в одной из петербургских гостиных изустной, разговорной газетой. Именно такие разговорные газеты, то есть непосредственный обмен мыслями, устная публикация новых сочинений и тут же критических суждений о них были в то время вполне возможной и удобной формой литературной жизни. Круг писателей – почти все они происходили из дворянских семей – состоял еще в неразрывной связи с миром гостиных.

В Петербурге нашлось несколько человек, обладавших необходимым – желанием, достатком, уважением «образованного общества», чтобы завести у себя литературный салон. И несколько обширных со вкусом убранных комнат для литературы тех лет были тем же, чем позднее стали страницы журналов и газет . . . Разумеется, о литературе толковали, посвящали ей досуги и в офицерских квартирах, и в студенческих каморках, и в кабинетах сановников. Но постоянные, порою ежедневные собрания, где складывались мнения, произносились приговоры, где формировались литературные партии, отличали именно эти несколько гостиных, – столичные литературные салоны. Подобно газетам и журналам, каждый салон имел свое направление или хотя бы свой оттенок. В каждом были свои литературные кумиры, которых почитали, которыми гордились.

Едва ли не самой примечательной среди литературных гостиных Петербурга тех лет была гостиная президента Академии художеств и директора Императорской Публичной библиотеки А. Н. Оленина.

«Мне очень нравилось бывать в доме Олениных, – говорит в «Воспоминаниях» А. П. Керн, – потому что у них не играли в карты . . . Но зато играли в разные занимательные игры и преимущественно в Charades en action,в которых принимали иногда участие и наши литературные знаменитости – Ив. Андр. Крылов, Ив. Матв. Муравьев-Апостол и другие. В первый визит мой к тетушке Олениной, батюшка, казавшийся очень немногим старше меня, встретясь в дверях гостиной с Крыловым, сказал ему: «Рекомендую вам меньшую сестру мою». Иван Андреевич улыбнулся, и, протянув мне обе руки, сказал: «Рад, очень рад познакомиться с сестрицей». На одном из вечеров у Олениных я встретила Пушкина и не заметила его; мое внимание было поглощено шарадами, которые тогда разыгрывались и в которых участвовали Крылов, Плещеев и другие. Не помню, за какой-то фант Крылова заставили прочитать одну из его басен. Он сел на стул посредине залы; мы все столпились вокруг него, и я никогда не забуду, как он был хорош, читая своего Осла! И теперь еще мне слышится его голос и видится его разумное лицо и комическое выражение, с которым он произнес: «Осел был самых честных правил!»

П. А. Вяземский

А. Н. Оленин, человек широко образованный, любил литературу и театр, понимал толк в живописи, сам слыл недурным рисовальщиком и увлекался археологией. В его доме на Фонтанке (между Семеновским и Обуховским мостами), уставленном слепками с античных статуй и древнегреческими амфорами, собирались знаменитые литераторы, художники, артисты. Говорили об искусстве, обменивались новостями, читали стихи, рисовали . . . Завсегдатаями оленинского кружка были И. А. Крылов, известный переводчик «Илиады» Н. И. Гнедич. Бывали здесь и К. Н. Батюшков, В. А. Жуковский. Правда, по словам современника, «оленинская партия не въявь, но тайно» не благоволила к Жуковскому, автору романтических баллад, тогдашнему главе новой литературной школы.

Дело в том, что в это время в русской словесности разгоралась война между архаистами и новаторами, между сторонниками языка архаического, «словяно-росского», и теми, кто ориентировался на разговорную речь дворянской гостиной. В доме Олениных – это определялось и официальным положением, и вкусами хозяина, поклонника античности и русской старины, – старались примирить враждующих, отыскать золотую середину. Но при том, особенно на первых порах, не без предубеждения относились к «балладникам».

Увлеченно и весело романтическим затеям сочувствовали там, где собиралась молодая партия: у Жуковского, у братьев Тургеневых.

В. А. Жуковский жил на Крюковом канале, у Кашина моста. В обширной квартире, которую он занимал вместе с семейством своего вдового приятеля А. А. Плещеева, по субботам встречались друзья хозяина, среди которых были юные поэты А. С. Пушкин, А. А. Дельвиг, В. К. Кюхельбекер, П. А. Плетнев. Здесь горячо и громко толковали «о Шиллере, о славе, о любви», говорили о литературе русской, немецкой, французской, мерили себя Шекспиром и Байроном. Здесь Пушкин, сразу по написании, читал песни поэмы «Руслан и Людмила». Здесь Жуковский подарил ему свой портрет с надписью: «Победителю – ученику от побежденного – учителя . . .»

У Тургеневых (жили они на Фонтанке недалеко от Летнего сада) к разговорам литературным часто примешивались политические. И к тому же весьма резкие.

Старший из двух братьев Тургеневых, Александр Иванович, почти не принимал в них участия. Человек необыкновенно образованный, умный, он не любил говорить на людях, тем более говорить резко. Для этого он был слишком добродушен. Его доброта вошла в пословицу. «Список всех людей, которым помог Тургенев, – писал П. А. Вяземский, – за которых заступился, которых восстановил во время служения своего, мог бы превзойти длинный список любовных побед, одержанных Дон-Жуаном». Старший Тургенев выхлопотал пособие Жуковскому, чтобы тот мог спокойно заниматься литературой, добился для Батюшкова места в русской дипломатической миссии в Неаполе, для Вяземского – назначения на службу в Варшаву. Это он в свое время помог Пушкиным определить двенадцатилетнего Александра в Царскосельский лицей.

Политическими, социальными вопросами был поглощен младший Тургенев, Николай Иванович. Он был, по выражению Жуковского, «враг ханов», враг рабства. Он не уставал говорить и писать о необходимости отмены крепостного права, гибельного для

России. И собравшихся молодых литераторов убеждал служить своим примером той же великой цели . . .

Когда на российском Парнасе разгорелась война архаистов и новаторов, когда потребовалось объединить силы для борьбы, в Петербурге появились два враждующих литературных общества.

Энергичный адмирал А. С. Шишков – глава консервативной партии – еще в 1811 году объединил сторонников и сочувствующих в «Беседе любителей русского слова».

Собиралась «Беседа» у Г. Р. Державина – в нарочно для того отделанной и украшенной зале. Помимо членов «Беседы», присутствовали обыкновенно и гости: мужчины в мундирах и фраках, в орденах и звездах, дамы в роскошных нарядах. По существу, это был тот же литературный салон, но только большего размера. И уважение к светскому тону и приличиям, свойственное всякой гостиной, «беседчики» доводили до смешного. Свои собрания сопровождали они исполнением некоего торжественного ритуала: члены общества рассаживались вдоль длинного стола, крытого зеленым сукном, вокруг возвышались уступами кресла, заполненные гостями; по мановению самого Державина заседание открывалось; творения присутствовавших авторов декламировал специально приглашенный чтец.

В первом послевоенном, 1815 году создали свое общество и приверженцы новой школы. Они называли его «Общество Арзамасских Безвестных Людей», или кратко – «Арзамасом». Название по имени безвестного, заштатного городка Нижегородской губернии имело смысл иронический. И само общество было задумано и осуществлено именно как пародия на «Беседу».

В «Арзамас» вошли те самые люди, что бывали на «субботах» у В. А. Жуковского, сходились по вечерам к Тургеневым либо к Н. М. Карамзину – автор «Истории Государства Российского» жил все на той же Фонтанке, самой «литературной» реке тогдашнего Петербурга.

На сходках арзамасцев царила дружеская непринужденность и свобода в обращении. Все здесь было по-семейному, по-домашнему. Помимо В. А. Жуковского, К. Н. Батюшкова, П. А. Вяземского, Дениса Давыдова, юного Пушкина, в «Арзамас» были приняты люди, прямого отношения к словесности не имеющие – старинные приятели Жуковского А. А. Плещеев и К. Д. Кавелин, чиновник архива иностранных дел Ф. Ф. Вигель, дипломат Д. Н. Северин. Каждый арзамасец получал прозвище, взятое из баллад Жуковского: Батюшков – Ахилл, Жуковский – Светлана, Вяземский – Асмодей, В. Л. Пушкин – Вот, а затем Вот Я Вас!, А. С. Пушкин – Сверчок . . . Вступающий в общество должен был произнести надгробную речь одному из живых «покойников» «Беседы». Издевательства над староверами в стихах и в прозе – памфлеты, эпиграммы, пародии – фонтаном извергались из недр «Арзамаса». Но арзамасцы были заняты не только насмешками над творениями «беседчиков». Члены общества уже на одном из первых своих заседаний приняли предложение Жуковского читать и обсуждать собственные серьезные сочинения – «читать друг другу стишки, царапать друг друга критическими колкостями». Вяземский позднее называл «Арзамас» школою «взаимного литературного обучения». Отличительной чертой всей арзамасской критики было то, что серьезная и дельная по существу, она всегда высказывалась в шутливой, несерьезной форме. «Арзамасская критика должна ехать верхом на галиматье», – любил повторять Жуковский. Весельем, безудержной шутливостью определялся характер арзамасских собраний, остроумно пародировавших чинные прения «Беседы». Наглядное представление об арзамасском стиле мышления дает такое «предварительное постановление» общества: «. . . За два неявления его превосходительство член ослушник изгоняется из Нового Арзамаса и не иначе может в него быть опять принят как следуюшим образом: 1-е. Он узнает стороною о назначенном дне, часе и месте заседания. 2-е. Является туда незваный без ведома членов и ожидает их прибытия в какой-нибудь отдаленной комнате так, чтобы они не могли подозревать его присутствия.

3-е. Собравшемуся Арзамасу входит он в палату заседания с смирением раскаяния, на четвереньках, показывая тем, что он своим нерадением к должности совершенно оскотинился. 4-е. Тихо, без всякого шума, поднимается он на задние ноги и таким образом мало-помалу доходит до человеческого образа; садится поодаль от других, на самый край стула, и не позволяет себе глядеть ни на кого из присутствующих. 5-е. По свистку президента начинает говорить самому себе надгробную речь . . . он говорит негромко, дрожащим голосом робости и раскаяния; потом сам себе ответствует, хвалит самого себя с заметною недоверчивостью к похвалам своим; сам себе кланяется и сам за себя краснеет. 6-е. Члены между тем все сидят к нему задом, показывают величественную гордость оскорбленных сердец, холодное невнимание, часто кашляют и сморкаются, дабы заглушить голос автора. 7-е. Во все время заседания виновный сидит в белом колпаке, молча, с потупленным взором; кашляет тихо в кулак, сморкается, спрятав голову под стол . . .» и т. д.

Для членов общества их «Арзамас» был духовной родиной, «арзамасским отечеством».

Это шутливое литературное общество чрезвычайно ярко отразило дух времени. И, когда мы говорим об «Арзамасе», нам прежде всего видится характерная фигура юного Пушкина, арзамасского Сверчка, который мечет смертоносные эпиграммы в «беседчиков», шлет стихотворные послания друзьям-арзамасцам, играет в шарады у Олениных, а в квартире братьев Тургеневых, глядя из окна на мрачный Михайловский замок, слагает бесстрашные строки своей оды «Вольность»:

Увы! куда ни брошу взор –
Везде бичи, везде железы,
Законов гибельный позор,
Неволи немощные слезы,
Везде неправедная власть
В сгущенной мгле предрассуждений
Воссела – рабства грозный гений
И славы роковая страсть.

❀❀❀

Петербург был основан как «окно в Европу», как форпост России на берегах Балтики. Новая столица должна была демонстрировать Западу мощь и богатство империи. Но ни о безопасности будущих жителей города, ни, тем более, об их удобствах его основатель нимало не помышлял. Его, казалось, ничуть не тревожило, что острова, выбранные для сооружения новой столицы, по утверждению старожилов, почти всякую осень заливало водой. Справедливость этого утверждения Петр впоследствии неоднократно мог проверить и сам. Так, в сентябре 1706 года он сообщал Меншикову, что по городу свободно ездили на лодках, а в собственных его хоромах (домике на Петербургской стороне) вода стояла на двадцать один дюйм выше пола. В ноября 1721 года во время сильнейшего наводнения и шторма царь на одномачтовом парусном судне «изволил тешиться лавированием» на покрытом водою лугу перед Адмиралтейством.

По мере того как город строился, мостовые его набережных и улиц все выше поднимались над уровнем реки. Наводнения стали не так часты. Но отнюдь не прекратились. Сильные наводнения случались в среднем не реже, чем раз в десять–пятнадцать лет. И были, вероятно, одной из самых отличительных черт петербургской жизни.

В огромном городе, внезапно залитом водой, привычные предметы и лица вдруг приходили в совершенно неожиданные положения, возникали нелепые и потому комические ситуации:

Со сна идет к окну сенатор
И видит – в лодке по Морской
Плывет военный губернатор.

Сенатор обмер: «Боже мой!
Сюда, Ванюшка! стань немножко,
Гляди: что видишь ты в окошко?»
– Я вижу-с: в лодке генерал
Плывет в ворота, мимо будки.
«Ей-богу?» – Точно-с. – «Кроме шутки?»
– Да так-с. – Сенатор отдохнул
И просит чаю: «Слава богу!
Ну! Граф наделал мне тревогу,
Я думал: я с ума свихнул».

Не случайно этот отрывок остался в черновиках «Медного всадника». Несмотря на отдельные комические происшествия, общий колорит картины буйства и разгула стихии был не только не веселый, но, напротив, весьма мрачный и трагический.

Наводнение, случившееся в Петербурге 7 ноября 1824 года, осталось столь памятным для последующих поколений не только потому, что было самым сильным и разрушительным в истории города, но, конечно, и потому, что попало в пушкинскую поэму.

Осада! приступ! злые волны,
Как воры, лезут в окна. Челны
С разбега стекла бьют кормой.
Лотки под мокрой пеленой,
Обломки хижин, бревны, кровли,
Товар запасливой торговли,
Пожитки бледной нищеты,
Грозой снесенные мосты,
Гроба с размытого кладбища
Плывут по улицам!

День накануне наводнения был ненастным, дождливым, с резким, холодным ветром. Вода в Неве прибывала. В семь часов вечера на Адмиралтейской башне были вывешены сигнальные фонари – предупреждение об опасности. Ночью ветер усилился. «Длинная волна», огромный водяной вал, поднятый циклоном где-то далеко в Балтийском море или в океане, приближалась к устью Невы.

О размерах грозившего бедствия никто не догадывался. Праздные петербуржцы с утра отправились на набережную любоваться волнующейся, вспененной, грохочущей рекой.

Первыми, как всегда, оказались под водою острова. Около десяти часов утра воды Финского залива, кипевшие, по словам очевидца, на всем обозримом пространстве точно в котле и окутанные туманом брызг, устремились на сушу. Под напором огромной массы воды прибрежные строения были мгновенно смыты. Люди спасались кто как мог: на бревнах, на плавающих кровлях, воротах. «Некоторые лишились жизни при сем случае». Другой очевидец, побывавший на следующий день на Васильевском острове, узнал, что в прибрежной его части не досчитывается несколько сотен домов. С удивлением увидел он развалины одного дома, возвышавшиеся посреди обширного пустыря. Но ему объяснили, что «отсюдова строения бог ведает куда унесло, а это прибыло сюда с Ивановской гавани». Разбушевавшаяся река несла оторванные от причалов баржи, мелкие суда и большие – недостроенные корабли с верфей. В Галерной гавани большие суда и галиоты носились по воде и, как тараны, крушили уцелевшие еще дома.

В двенадцатом часу дня вода из Невы и каналов хлынула на улицы центральных районов города. Прохожие и любопытные, застигнутые быстро прибывавшим потоком, лезли на фонари, в окна домов, на деревья, цеплялись за балконы, взбирались на империалы карет. Кареты и дрожки начали всплывать, в низких местах лошади тонули в упряжи. Верховые лошади пустились вплавь.

Напор воды был таков, что во многих местах гранитные парапеты невской набережной оказались разломаны – огромные камни, особенно на пристанях, были сдвинуты с места или повалены. Волны с такой силой ударялись о стены Зимнего дворца, что брызги долетали чуть не до крыши. На Дворцовой площади темная, зеленоватая вода крутилась, как гигантский водоворот. По воздуху неслись листы кровельного железа, сорванные с крыши еще не достроенного здания Главного штаба . . .

Даже и те, кто жили в прочных каменных домах, порою не избегли неприятностей, а в иных случаях и опасности. А. С. Грибоедов, поселившийся осенью 1824 года в низменной Коломне, в заметках «Частные случаи петербургского наводнения» рассказывал: «Подхожу к окошку и вижу быстрый проток; волны пришибают к возвышенным тротуарам; скоро их захлестнуло; еще несколько минут, и черные пристенные столбики исчезли в грозной новорожденной реке. Она посекундно прибывала. Я закричал, чтобы выносили что понужнее в верхние жилья (это было на Торговой, в доме В. В. Погодина). Люди, несмотря на очевидную опасность, полагали, что до нас не скоро дойдет; бегаю, распоряжаюсь – и вот уже из-под полу выступают ручьи, в одно мгновение все мои комнаты потоплены; вынесли, что могли, в приспешную, которая на полтора аршина выше остальных покоев; еще полчаса – и тут воды со всех сторон нахлынули, люди с частию вещей перебрались на чердак . . . я через смежную квартиру П. побежал и взобрался под самую кровлю, раскрыл все слуховые окна. Ветер сильнейший и в панораме пространное зрелище бедствий . . . В соседних дворах примечал я, как вода приступила к дровяным запасам, разбирала по частям, по кускам и их, и бочки, ушаты, повозки и уносила в общую пучину, где ветры не давали им запружать каналы; все изломанное в щепки неслось, влеклось неудержимым, неотразимым стремлением. Гибнущих людей я не видал, но, сошедши несколько ступеней, узнал, что пятнадцать детей, цепляясь, перелезли по кровлям и еще не опрокинутым загородам, спаслись в людскую, к хозяину дома, в форточку . . . Все это осиротело. Где отцы их, матери!!!»

В Коломне, где пережил наводнение Грибоедов, еще при Екатерине II было предписано держать довольное число гребных судов для спасения жителей в случае стихийного бедствия. Аналогичный указ был издан и в начале XIX века. Но ни в Коломне, ни в других частях города никакой спасательной службы организовано не было. В день великого наводнения большинство спасенных от смерти петербуржцев были обязаны жизнью стараниям добровольцев.

Д. И. Завалишин рассказывает в своих записках, как он, тогда лейтенант флота, явился днем 7 ноября к морскому министру Моллеру. Получив приказание организовать борьбу со стихией, говорит Завалишин, «Моллер был в отчаянии, когда я пришел к нему, и он тем более обрадовался моему приходу, что никто другой из обязанных быть при нем к нему не явился . . . Я взял на себя внешнюю деятельность спасения людей на улицах . . . Я послал сейчас верхового в гвардейский экипаж за людьми и за лодками, если есть, и взял несколько лодок у перевозчиков да две лодки (одна из них была министерский большой катер), бывшие в доме министра и которые насилу выручили из сарая. Первый явился ко мне Михаил Карлович Кюхельбекер, пришедший уже по пояс в воде, который хотя и старше меня, отдал себя в мое распоряжение . . .»

Моряки, морские артиллеристы, офицеры и солдаты других гвардейских частей, разъезжая по улицам на лодках, подобрали в воде, сняли с крыш и заборов несколько сотен человек. Петербургский генерал-губернатор граф Милорадович, генерал-адъютант Бенкендорф, матросы торговых судов, мужики-лодочники и даже некоторые сухопутные петербуржцы спасали утопающих. Ученый П. И. Соколов вытащил из воды пятнадцать человек, бросая им веревку из окна своей квартиры. Казаки Муров и Лазарев на своих лошадях вплавь добрались до строения, на крыше которого сидел мещанин Кожин с женой и с детьми, и вывезли на сухое место все семейство . . .

В третьем часу дня вода стала спадать. В семь часов вечера уже ездили в экипажах по улицам и во многих местах можно было пройти по тротуарам. К утру на мостовых остались только лужи. Но город приобрел вид странный и страшный. Улицы были завалены бревнами, обломками зданий, домашней утварью, полицейскими будками и всевозможным хламом. У здания двенадцати коллегий стояли две баржи с сеном, у здания Кадетского корпуса еще одна. Возле Сальных буянов на высокий берег закинуло двухмачтовое судно. Огромная баржа, вдвинутая водой через переулок в Большую Миллионную, перегородила улицу. Под развалинами домов видны были трупы людей и животных . . .

Заботясь о репутации русской столицы, власти поначалу запретили газетам сообщать какие-либо подробности о наводнении. Но вести о страшной катастрофе, постигшей Петербург, распространялись быстро.

Автопортрет. 1824

Из писем узнал о случившемся Пушкин, живший в это время в ссылке в Михайловском. 4 декабря 1824 года поэт писал брату Льву: «Закрытие феатра и запрещение балов – мера благоразумная. Благопристойность того требовала. Конечно, народ не участвует в увеселениях высшего класса, но во время общественного бедствия не должно дразнить его обидной роскошью. Лавочники, видя освещение бельэтажа, могли бы разбить зеркальные окна, и был бы убыток. Ты видишь, что я беспристрастен. Желал бы я похвалить и прочие меры правительства, да газеты говорят об одном розданном миллионе. Велико дело миллион, но соль, но хлеб, но овес, но вино? об этом зимою не грех бы подумать хоть в одиночку, хоть комитетом. Этот потоп с ума мне нейдет, он вовсе не так забавен, как с первого взгляда кажется. Если тебе вздумается помочь какому-нибудь несчастному, помогай из Онегинских денег. Но прошу, без всякого шума, ни словесного, ни письменного».

Нередко случались в Петербурге повальные болезни, то и дело город горел. Но эпидемии не менее страшные, но пожары не менее разрушительные знали и другие города. Наводнения же были бедствием чисто петербургским, местным, особенным. Они были в непосредственной связи с историей города – с искусственным происхождением северной столицы, возникшей не там, где возможно было основать город, но там, где его нужно было основать. И потому каждое петербургское наводнение выглядело как месть стихии людской дерзости. Наводнение являло картину не только гибели и разрушений, но как будто преднамеренной жестокости, коварства и злой радости буйных сил природы. Эта внезапность нападения. Эта беспощадность именно к слабым, к бедным, к подвалам, к первым этажам, к окраинам. Это озорство и какая-то дикая игривость. Это бесцеремонное разоблачение скромного убожества, стыдливо прятавшегося за стенами домов . . .

Наводнение не только выволокло на улицу и разбросало в грязи предметы, до того бережно хранимые. Наводнение обнажило внутренний драматизм жизни города. За привычным пестрым бытом обнаружились скрытые пружины, извечные противоречия сил природы, истории и человеческих стремлений.

Петербургское наводнение 7 ноября 1824 года оказалось событием, достаточно значительным для того, чтобы вызвать к жизни пушкинский «Медный всадник».

❁❁❁

Полицейская будка. Черно-белая полосатая будка, и около нее сторож с алебардой . . .

Будки стояли чуть ли не на каждой улице. Всего в городе их было около трехсот. Городские сторожа дежурили круглые сутки – в три смены – так и жили по трое в будке.

Кроме явных сторожей были и тайные. Обширный штат осведомителей – вербовали их во всех классах общества – позволял властям узнавать о подозрительных происшествиях и лицах.

«Еще обедала у Гуго ⟨на Васильевском острове⟩ женщина с мужчиной и обратила на себя внимание всех присутствующих; она казалась всем переодетым мужчиной в женском платье . . .» – подобных донесений от своих агентов полиция получала множество.

Бывали донесения и такого рода: «. . . здесь в Петербурге я слышал от самых простых рабочих людей такие разговоры о природном равенстве, и прочее, что я изумился: «Полно-де уже терпеть, пора бы с господами и конец сделать». Самые дворяне, возвратившиеся из чужих краев, с войском, привезли начала, противные собственным их пользам и спокойствию государства. Молодые люди первых фамилий восхищаются французской вольностью и не скрывают своего желания ввести ее в своем отечестве . . . В самом лицее Царскосельском государь воспитывает себе и отечеству недоброжелателей . . . это доказывают почти все вышедшие оттуда. Говорят, что один из них, Пушкин, по высочайшему повелению секретно наказан. Но из воспитанников более или менее есть почти всякий Пушкин, и все они связаны каким-то подозрительным союзом, похожим на масонство . . .»

В. К. Кюхельбекер

Это, впрочем, не заурядный полицейский донос. Это письмо уже упоминавшегося статского советника в отставке В. Н. Каразина министру внутренних дел графу В. П. Кочубею. И в письме – недвусмысленное предупреждение правительству об опасном брожении умов, о близящейся революции. И, прежде всего, о зловредном направлении литературы.

С положением дел в отечественной словесности Каразин был знаком весьма детально. Главным образом благодаря своему участию в Вольном обществе любителей российской словесности.

«. . . Вольное общество любителей российской словесности, – говорится в «Новейшем путеводителе по С.-Петербургу», изданном в 1820 году, – собирается каждый понедельник после полудня . . . в Вознесенской улице, в доме Войвода. Президент его полковник гвардии Ф. Глинка. Общество сие составилось в 1815-м году из молодых стихотворцев и в 1817-м году утверждено правительством. С 1818 года издает оно журнал под заглавием «Соспешествователь просвещения и благотворительности».

Из сказанного явствует, что в отличие от «Арзамаса» названное общество было открытым. Можно еще добавить, что оно было сугубо профессиональным и в отличие от «Беседы» куда менее чиновным – в «ученую республику», как называли себя члены Вольного общества, мог вступить всякий, составивший себе хоть какое-нибудь имя в литературе. Поначалу в Вольном обществе подвизалась все больше мелкая литературная сошка. Но к концу 1810-х годов в нем уже состояло несколько видных поэтов – Глинка, Гнедич, Кюхельбекер, Дельвиг, Баратынский, немного позже вступили в него братья Бестужевы, Рылеев, Грибоедов.

Приехав осенью 1819 года в Петербург, едва ли не первым делом Каразин явился в дом Войвода на Вознесенской улице – он сразу почувствовал, где в городе всего напряженней и явственней течет общественная жизнь. В начале ноября Каразин, в уважение к прежним литературным и научным заслугам его, был избран сперва почетным, а затем и действительным членом Вольного общества. Чрезвычайной активностью и заинтересованностью в делах общества он вскоре заслужил звание помощника председателя.

Вокруг Каразина объединилась группа его единомышленников – монархистов и консерваторов. Либералы, вольнодумцы – по преимуществу литературная молодежь – поддерживали президента общества Федора Глинку, автора популярной книги «Письма русского офицера», героя Отечественной войны 1812 года, награжденного за храбрость золотым оружием, человека, известного своей добротой и «ревностью к общему благу». Неминуемо было столкновение двух партий внутри общества.

«Об ученых обществах и периодических сочинениях в России» – так называлась программная речь Каразина в «ученой республике». Оратор старался доказать своим слушателям, что «основаниями наших писателей (независимо даже от личных начал их) не могут быть ни мнимые права человека, ни свобода совести, столько препрославленные и столько во зло употребленные в XVIII веке». И спрашивая: «Если бы легкомыслие усиливалось производить, а учрежденный за ним надзор мог допускать сочинения в другом духе, то кто станет им рукоплескать?» А перед ним сидели люди и «производившие» крамольные сочинения, и рукоплескавшие им. Каразин знал это.

Не надеясь единственно на силу своего красноречия, он обратился к графу Кочубею, министру и к тому же попечителю Вольного общества. Сохранилась запись одного разговора между ними.

– Скажите, неужель впрямь видите вы ту опасность, о коей изъясняетесь? – спросил граф, имея в виду предупреждения Каразина о близкой революции.

– Несомненно. Опасность предстоит величайшая.

– Признаюсь, я сего не понимаю и отнюдь не могу видеть те опасности, которые вы находите.

– Ваше сиятельство не может о сем судить. Вы не разговариваете с народом, вам никто ничего не скажет. Надобно знать суждения простого народа; надобно поговорить с людьми, из провинции приезжающими, надобно побывать в губерниях, чтобы судить, до такой степени простирается общее недовольство. Все жалуются. Правительство не уважается. Надобно прослушать здешнюю молодежь. Она заражена самым дурным духом . . .

Доводы Каразина не показались министру убедительными. С чего бы это вдруг начаться революции?Разумеется, недовольных людей всегда много. Но на что же тогда и полиция?

В одном только Петербурге было около тысячи полицейских чинов (не считая будочников). Полиция следила за исполнением правительственных распоряжений, наблюдала за благочинием, за мощением улиц, за освещением их, ведала медицинской частью и пожарным делом. И, конечно, следила за благонадежностью жителей. Следила очень внимательно, беспрерывно и повсеместно, прибегая к всевозможным хитростям и уловкам. (Так, некий квартальный надзиратель, например, чтобы разведать «дух солдат», был командирован в торговые бани, где парился несколько дней кряду.)

Царя, которому Кочубей показал письмо Каразина, более всего заинтересовала приведенная в письме эпиграмма Пушкина. Министр и царь, по словам Каразина, захотели убедиться, что «эпиграмма точно была писана . . . что она не мое изобретение!» И, чтобы убедиться, поручили полиции раздобыть бумаги поэта . . .

Непосредственным начальником петербургской полиции был генерал-губернатор граф Милорадович. Сведения, переданные Каразиным Кочубею, не могли миновать его. О доносе Каразина узнал, верно, и чиновник особых поручений при генерал-губернаторе гвардии полковник Федор Глинка, которому поручено было наблюдать за «состоянием умов» в столице. Тот самый Глинка, что был президентом Вольного общества. Для Петербурга той поры характерный парадокс!

Так или иначе, в заседании «ученой республики» 15 марта 1820 года разразился скандал. Вице-президент общества был обвинен в неблаговидном поступке. По свидетельству очевидца, противники Каразина «называли сочлена своего клеветником, невежею, нарушителем спокойствия и другими именами, которых повторить не смею». Каразин и с ним еще шесть человек его сторонников оставили заседание общества . . .

Между тем Пушкин был вызван к генерал-губернатору. Отправляясь на это свидание, поэт решил посоветоваться с Федором Глинкой. «. . . Я сказал ему, – вспоминал впоследствии Глинка, – «идите прямо к Милорадовичу, не смущаясь и без всякого опасения. Он не поэт; но в душе и рыцарских его выходках у него много романтизма и поэзии; его не понимают! Идите и положитесь безусловно на благородство его души: он не употребит во зло вашей доверенности». Тут, еще поговорив немного, мы расстались: Пушкин пошел к Милорадовичу, а мне путь лежал в другое место. Часа через три явился и я к Милорадовичу . . . Лишь только ступил я на порог кабинета, Милорадович, лежавший на своем зеленом диване, окутанный дорогими шалями, закричал мне навстречу: «Знаешь, душа моя! (это его поговорка) у меня сейчас был Пушкин! Мне ведь велено взять его и забрать все его бумаги; но я счел более деликатным (это тоже любимое его выражение) пригласить его к себе и уж от него самого вытребовать бумаги. Вот он и явился, очень спокоен, с светлым лицом, а когда я спросил о бумагах, он отвечал: «Граф! все мои стихи сожжены! – у меня ничего не найдется на квартире; но, если вам угодно, все найдется здесь (указал пальцем на свой лоб). Прикажите подать бумаги, я напишу все, что когда-либо написано мною (разумеется, кроме печатного) с *отметкою*, что мое и что разошлось под моим именем». Подали бумаги. Пушкин сел и писал, писал . . . и написал целую тетрадь . . . Завтра я отвезу ее государю. А знаешь ли? – Пушкин пленил меня своим благородным тоном и манерою (это тоже его словцо) обхождения».

Хотя Милорадович, плененный благородством поэта, поспешил объявить ему от имени императора прощение, сам император не склонен был прощать. Пушкину было предписано отправиться на юг, в распоряжение попечителя колонистов южного края генерала И. Н. Инзова.

Через несколько дней после того, как стало известно о высылке Пушкина, на заседании Вольного общества Вильгельм Кюхельбекер читал свое стихотворение «Поэты», в котором обращался к Дельвигу, Баратынскому и Пушкину.

О Дельвиг, Дельвиг! что гоненья?
Бессмертие равно удел
И смелых, вдохновенных дел,
И сладостного песнопенья!
Так! не умрет и наш союз,
Свободный, радостный и гордый,
И в счастьи и в несчастьи твердый,
Союз любимцев вечных муз!
И вы, мой Дельвиг, мой Евгений!
С рассвета наших тихих дней
Вас полюбил небесный Гений!
И ты – наш юный Корифей –
Певец любви, певец Руслана!
Что для тебя шипенье змей,
Что крик и Филина и Врана?

Каразин, уже изгнанный из общества, тем не менее донес графу Кочубею: «. . . поелику эта пьеса была читана непосредственно после того, как высылка Пушкина сделалась гласною, то и очевидно, что она по сему случаю написана».

Каразин еще не раз пытался обратить внимание правительства на дерзких писателей. Но его борьба с Вольным обществом закончилась неожиданно. Беспокойный и требовательный советчик сильно надоел и министру, и самому царю. Вскоре после Семеновского бунта Кочубей писал Александру I, что у генерала Милорадовича явилась мысль арестовать Каразина. Можно предполагать, что эта мысль явилась не без влияния чиновника особых поручений Федора Глинки. Каразин действительно был арестован, несколько месяцев провел в Шлиссельбургской крепости, а затем получил приказание безвыездно жить в своем имении на Украине.

А собрания в доме Войвода на Вознесенской улице продолжались. Здесь впервые прозвучали многие стихотворения Дельвига, Баратынского, Кюхельбекера, Пушкина, сюда присылал свои новые басни маститый Крылов. Александр Бестужев читал здесь переводы из французских и английских политических писателей. Федор Глинка с воодушевлением декламировал свои стихи на библейские сюжеты.

Кондратий Рылеев вдохновенно читал исполненные высокого гражданственного пафоса «Думы». В такие минуты, как замечает современник, черные глаза поэта «горели и точно искрились. Становилось жутко: столько было в них сосредоточенной силы и огня».

О, пусть не буду в гимнах я,
Как наш Державин, дивен, громок, –
Лишь только б молвил про меня
Мой образованный потомок:
«Парил он мыслею в веках,
Седую называя древность,

И воспалял в младых сердцах
К общественному благу ревность!»

Приверженность к ораторской, убеждающей поэзии сочеталась у будущих декабристов с интересом к ораторской речи и красноречию вообще. Потому что конечною их целью была пропаганда, политическая пропаганда. Вольное общество, или, как его еще называли, Общество соревнователей просвещения и благотворения, помимо прочего, готовило кадры для тайного общества.

Александр Бестужев рассказывал, что в 1822 году «свел свое знакомство с г. Рылеевым, и как мы иногда возвращались вместе из Общества Соревнователей Просвещения и Благотворения, то и мечтали вместе, и он пылким своим воображением увлекал меня еще более. Так грезы эти оставались грезами до 1824 года, в который он сказал мне, что есть тайное общество, в которое он уже принят и принимает меня».

❀❀❀

Описания и путеводители, изданные в Петербурге в начале XIX века, сообщают о том, сколько жило в городе чиновников первого класса и сколько трубочистов, сколько было колодцев, калачных изб и проходных дворов, сколько дымовых труб и сколько садов, устроенных на крышах . . . Из документов эпохи можно почерпнуть тысячи разнообразных сведений о внешнем облике города и об его жизни. Но ни один документ не дает того ощущения почти осязаемой реальности пушкинского Петербурга, какое дают стихи самого Пушкина.

Как часто летнею порою,
Когда прозрачно и светло
Ночное небо над Невою
И вод веселое стекло
Не отражает лик Дианы,
Воспомня прежних лет романы,
Воспомня прежнюю любовь,
Чувствительны, беспечны вновь,
Дыханьем ночи благосклонной
Безмолвно упивались мы!
. . . .
Все было тихо; лишь ночные
Перекликались часовые;
Да дрожек отдаленный стук
С Мильонной раздавался вдруг;
Лишь лодка, веслами махая,
Плыла по дремлющей реке:
И нас пленили вдалеке
Рожок и песня удалая . . .

Не сами по себе описания Петербурга, какими бы точными и яркими чертами ни рисовал поэт городской пейзаж и быт горожан, но, главное, участие города в жизни героев «Онегина», в жизни самого автора, который то и дело появляется на страницах своего лирического романа, живое отношение поэта к городу – вот что делает город таким живым и для нас. В картине ночной Невы, описании кабинета петербургского денди или в изображении великосветского бала мы прежде всего слышим голос Пушкина, особенные интонации его поэтической речи.

Перед померкшими домами
Вдоль сонной улицы рядами
Двойные фонари карет
Веселый изливают свет
И радуги на снег наводят;

Пушкин и Онегин на берегу Невы.
Эскиз иллюстрации к I главе романа «Евгений Онегин»

Усеян плошками кругом,
Блестит великолепный дом;
По цельным окнам тени ходят,
Мелькают профили голов
И дам и модных чудаков.

В то время юный Пушкин, как и его «приятель» Онегин, не любил спать по ночам – когда после бала, после дружеской сходки или прогулки по городу возвращался он на Фонтанку, в дом Клокачева у Калинкина моста, где жил вместе с родителями, над неугомонным Петербургом уже вставало солнце.

Разумеется, не все в жизни города одинаково занимало поэта. В его стихах отразились лишь некоторые черты многоликого Петербурга. Но при этом в пушкинском изображении Петербурга нет ни узости, ни односторонности. Пушкин – такова его особенность – лирически претворяя действительность, вместе с тем умел выразить ее характернейшие стороны; говоря о «светской жизни петербургского молодого человека», умел показать историческое содержание эпохи.

В первой главе «Онегина», как и в других произведениях Пушкина конца 1810-х – начала 1820-х годов, слышен тот настрой мыслей и чувств, который мы сегодня – в память о дне 14 декабря 1825 года – называем декабристским. Еще не зная о существовании тайного общества, поэт стал выразителем его чаяний, его пророком. И много лет спустя, издалека глядя на время своей молодости и разговаривая с читателем уже не как участник событий, но как их историк, в последней, десятой – потаенной и зашифрованной – главе «Онегина» поэт сможет документально подтвердить справедливость своего художественного видения, отразившегося в первой главе романа, сможет поименно назвать людей, бывших солью своей земли:

М. С. Лунин

Витийством резким знамениты,
Сбирались члены сей семьи
У беспокойного Никиты,
У осторожного Ильи.
. . . .
Друг Марса, Вакха и Венеры,
Тут Лунин дерзко предлагал
Свои решительные меры
И вдохновенно бормотал.
Читал свои Ноэли Пушкин,
Меланхолический Якушкин,
Казалось, молча обнажал
Цареубийственный кинжал.
Одну Россию в мире видя,
Преследуя свой идеал,
Хромой Тургенев им внимал
И плети рабства ненавидя,
Предвидел в сей толпе дворян
Освободителей крестьян.

Так было над Невою льдистой . . .

Первые тайные политические общества возникли в Петербурге уже вскоре по возвращении гвардии из заграничных походов. Сперва малочисленная, тайная организация быстро росла. К 1820 году в обществе – оно носило тогда имя «Союза Благоденствия» – числилось уже более двухсот человек. Отделения, или управы союза, кроме Петербурга, возникли еще в Москве, Киеве, Полтаве, Кишиневе, Тульчине (где находилась главная квартира Второй армии) и других городах.

Целью «Союза Благоденствия» было именно добиться благоденствия – свободы и процветания – для отечества. Каким образом? «Средство достижения цели, – свидетельствует один из членов союза, – было поддерживать во мнении общем всех людей, имеющих мысли, согласные с обществом, а напротив тех, кои оказались бы противными оным, сторониться, сколько возможно, и во мнении общем отнять веру и сделать менее значащими». Следовало вырвать власть из рук аракчеевых, отстранить от дел шварцев. А для этого – направить общественное мнение. Перетянуть на свою сторону всех здравомыслящих и честных людей, объединить их и призвать к действию. Поскольку таких людей большинство – так, по крайней мере, полагали члены союза – через десять–двадцать лет важнейшие государственные должности, все существенные отрасли нравственной и хозяйственной деятельности окажутся под контролем союза. А тогда, быстро и без кровопролития, произойдет и смена верховной власти.

Каждый из членов союза выбирал для себя какую-нибудь из «отраслей деятельности» – их было четыре: «человеколюбие», «образование», «правосудие» и «общественное хозяйство» – и начинал деятельность.

«Для показания за образец, каким образом совершали в совокупности какое-либо доброе предприятие, – писал позднее Федор Глинка, – я укажу на одно из собраний нашего отделения . . . Толковали о том, как помочь целому бедному семейству, кажется, чиновника Баранова ⟨. . .⟩ Дело состояло в том, что сей чиновник сидел шесть лет на гауптвахте под судом, а когда кончился суд, то признан невиновным. Но в протечении сего времени сие семейство лишилось всего и не имело ни угла, ни хлеба куска. А потому . . . и взялись довести до начальства (не помню, в каком начальстве был сей чиновник) о пострадании сего человека; Кошкуль вызвался выпросить денег у гр. Потоцкого, я взялся составить записку, а некоторые положили стараться в городе о помещении двух малюток сего бедняка и хотели послать доктора к больной их матери. Успех сего был таковой, что, когда свиделись не то у меня, не то у Годейна, то оказалось: что чиновник получил от своего начальства некую награду за пострадание; Кошкуль привез от Потоцкого . . . 200 рублей денег, да из общественных приложили столько же (200 рублей); матери помог доктор, а детей разместили по добрым людям . . . Так и совершилось круговое благополучие сего семейства».

И. И. Пущин

Стараниями членов общества «совершилось благополучие» многих и многих. Крепостной крестьянин Михайло Васильев был «вынут из сумасшедшего дома», куда упрятал его негодяй-помещик. Унтер-офицерская жена Ромашева, посаженная по ложному обвинению в съезжий дом и битая плетьми, была избавлена от ссылки в Сибирь и оправдана. Купец Саватьев был возвращен уже с дороги в Иркутск.

Немало усилий приложили члены петербургской и московской управы, чтобы спасти от смерти тысячи крестьян во время голода в Смоленской губернии в 1820 году. В несколько дней была собрана значительная сумма денег – пожертвования от разных лиц. Члены «Союза Благоденствия» Иван Якушкин, Иван Фонвизин и Михаил Муравьев отправились в Рославльский уезд, где гибло особенно много народа. В Рославле Якушкин и Фонвизин остановились на постоялом дворе. Нищие шли к ним вереницей. Якушкин каждому давал пятак, а Фонвизин записывал имя помещика и название деревни, откуда пришел крестьянин. Был куплен хлеб и накормлены тысячи голодных. Но союз этим не ограничился. В Рославль созвали несколько десятков окрестных помещиков. Муравьев предложил им подписать бумагу, где речь шла о положении в голодающей губернии. Бумага пошла к министру внутренних дел, и, по словам Якушкина, произвела большое впечатление в Петербурге. В Смоленск была наряжена сенаторская ревизия.

Члены «Союза Благоденствия» надеялись, что их упорная деятельность приведет, в конце концов, к переустройству в отечестве.

Деятельность и в самом деле была упорная.

Устав «Союза Благоденствия», называвшийся «Зеленой книгой», предусматривал, помимо создания основных управ, также заведение «побочных управ» – всевозможных литературных, благотворительных и прочих обществ.

Одной из побочных управ «Союза Благоденствия» было общество «Зеленая лампа». Собиралось оно в доме на Екатерингофском проспекте, где жил молодой сибарит Никита Всеволожский, сын известного петербургского Креза и Лукулла, прославившегося богатством и празднествами. Два раза в месяц в квартиру младшего Всеволожского слуга впускал гостей особого свойства. Не только для веселого ужина собирались они в одной из зал, за круглым столом под лампой с зеленым абажуром (зеленый цвет – цвет надежды: «Свет и надежда» – гласил девиз общества), но, главным образом, для того, чтобы говорить о литературе, о театре, о политике.

Насчет глупца, вельможи злого,
Насчет холопа записного,
Насчет небесного царя,
А иногда насчет земного.

Однажды, зимою 1819 года, на заседании «лампистов» член общества, молодой литератор, чиновник коллегии иностранных дел Александр Улыбышев читал свое сочинение

«Сон», фантастическое видение будущего Петербурга. Вероятно, в тот зимний вечер рассказ своего товарища о будто бы привидевшемся ему необыкновенном сне слушали и Федор Глинка, и Дельвиг, и Гнедич, и Пушкин – все они были членами «Зеленой лампы».

«Мне казалось, – рассказывал Улыбышев, – что я среди петербургских улиц, но все до того изменилось, что мне было трудно узнать их». Появилось множество новых прекрасных общественных зданий. Исчезли бесчисленные прежде казармы. Здесь теперь размещались школы, академии, библиотеки. Прежние царские дворцы совершенно изменили свое назначение. Сквозь огромные окна Аничкова дворца были видны многочисленные статуи из бронзы и мрамора. Они изображали тех, кто прославил отечество своими талантами и подвигами. Дворец превратился в Русский Пантеон. «Я тщетно искал, – замечал Улыбышев, – изображение теперешнего владельца этого дворца» (владельцем этим был великий князь Николай Павлович). На Михайловском замке горела золотом надпись: *«Дворец Государственного Собрания»*. Разумеется, автор утопии не случайно разместил народных представителей именно в этом здании, которое Пушкин незадолго до того назвал «пустынный памятник тирана», которое для современников символизировало позорный и тяжкий гнет самовластья . . . В конце Невского проспекта, где прежде стояла Александро-Невская лавра, теперь высилась триумфальная арка «как бы воздвигнутая на развалинах фанатизма» . . . Оказывается, в России произошли великие события: «Две головы орла, которые обозначали деспотизм и суеверие, были отрублены, и из пролившейся крови вышел феникс свободы и истинной веры». И все изменилось – порядок, обычаи. Даже и одежда жителей стала иной; исчез резкий контраст между платьем господским и холопским. Новые одеяния «соединяли европейское изящество с азиатским величием, и при внимательном рассмотрении я узнал русский кафтан с некоторыми изменениями». На улицах города теперь не мелькали беспрестанно фигуры военных, не видно было ни офицеров, ни солдат, потому что регулярной армии более не существовало – охраной порядка и безопасности страны заняты были по очереди все граждане, способные носить оружие. Путешествие в Петербург будущего завершалось возле «Святилища правосудия», где каждый гражданин мог в любое время дня и ночи «*требовать защиты законов*». Готовясь приблизиться к «Святилищу» по великолепному мосту, перекинутому через Неву, автор проснулся. «. . . Внезапно меня разбудили звуки рожка и барабана и вопли пьяного мужика, которого тащили в участок. Я подумал, что исполнение моего сна еще далеко . . .»

Курящий юноша

О том, как ускорить исполнение своих заветных желаний, напряженно думали многие члены тайной организации. Попытки завоевать и направить общественное мнение, мирным путем овладеть системой государственного управления не давали ожидаемого результата. Все больше сторонников завоевывала мысль о необходимости вооруженного выступления.

В Петербурге стали готовить революцию.

Случайные прохожие, разумеется, не могли увидеть ничего подозрительного в том, что три гвардейских офицера в семь часов утра прогуливались по дорожкам Летнего сада – в такое время как раз и возвращались с балов. Между тем в тот весений день 1823 года в виду столицы происходили важнейшие переговоры членов тайного Северного общества Никиты Муравьева – «беспокойного Никиты» – и Александра Поджио с представителем Южного общества Александром Барятинским.

И, разумеется, мало кто в городе знал, что за стенами известных чуть не каждому петербуржцу домов – таких, как дом Российско-Американской компании на Мойке, где жил Рылеев, дом графа Лаваля на Английской набережной, где жил Сергей Трубецкой, дом Булатова на Исаакиевской площади, где жил Александр Одоевский, – готовилось Петербургу небывалое еще в его истории потрясение, зрел заговор.

Город жил так же, как и прежде. Только, быть может, чаще, чем раньше, на улице, в гостиной, в казарме молодые офицеры резко обрывали разговор, завидев постороннего.

Да, быть может, на Сенном рынке, на Щукином дворе, на бирже у Синего моста теперь больше ходило рассказов о «явлениях» и «знаменьях», предвещавших близкую волю для народа. Да изредка в городской жизни случались невиданные, небывалые прежде происшествия. Так, 27 сентября 1825 года впервые в своей истории Петербург видел организованную демонстрацию. Поводом для нее послужили похороны подпоручика К. П. Чернова, смертельно раненного на дуэли флигель-адъютантом В. Д. Новосильцевым. Причиной дуэли было то, что Новосильцев, посватавшись к сестре Чернова, затем отказался от брака только потому, что его аристократическая родня не захотела принять в свою семью незнатную дворянку. Чернов писал в предсмертном письме: «Пусть паду я, но пусть падет и он, в пример жалким гордецам, и чтобы золото и знатный род не насмехались над невинностью и благородством души». Чернов был членом тайного общества. Секундантом его на дуэли с Новосильцевым был Рылеев. А над могилой Чернова Вильгельм Кюхельбекер читал стихи:

> Клянемся честью и Черновым:
> Вражда и брань временщикам,
> Царей трепещущим рабам,
> Тиранам, нас угнесть готовым.

В Петербурге несколько недель только и было разговоров, что о похоронах Чернова. Всех, конечно, поразило то, что на похороны безвестного подпоручика собралась изрядная толпа – сотни людей, большинство из которых прежде никогда не видели Чернова и не слыхали о нем. Речь шла именно о демонстрации в защиту чести и достоинства личности, в защиту как говорили тогда, «демократического принципа».

Кто же созвал демонстрантов, кто организовал столь мощный общественный протест?

Уже одно это выступление давало основание подозревать, что в Петербурге существует многочисленная тайная организация.

❀❀❀

Молодой офицер

В одном из своих очерков А. С. Грибоедов рассказал о поездке с приятелями за город «по известной дороге из Выборгской заставы». Гуляя в парке у озера, петербургские жители услыхали напевы русских песен и на лугу увидели крестьянских мальчиков и белокурых крестьянок в лентах и бусах. «Прислонясь к дереву, – говорит поэт, – я с голосистых певцов невольно свел глаза на самих слушателей-наблюдателей, тот поврежденный класс полуевропейцев, к которому и я принадлежу. Им казалось дико все, что слышали, что видели: их сердцам эти звуки невнятны, эти наряды для них странны. Каким черным волшебством сделались мы чужие между своими! Финны и тунгусы скорее приемлются в наше собратство, становятся выше нас, делаются нам образцами, а народ единокровный, наш народ разрознен с нами, и навеки! Если бы каким-нибудь случаем сюда занесен был иностранец, который бы не знал русской истории за целое столетие, он конечно бы заключил из резкой противоположности нравов, что у нас господа и крестьяне происходят от двух различных племен, которые не успели еще перемешаться обычаями и нравами».

Действительно, посторонний наблюдатель по внешнему виду русского дворянина и русского мужика мог заключить не только о разности «состояний», но и о принадлежности их к разным народам.

Дворянин одевался по парижским картинкам, тогда как мужик ходил в своем исконном зипуне либо, летом, в рубахе, подпоясанной кушаком. Мужицкого костюма мода не касалась лет триста, а то и больше. Мужики употребляли такие словечки, которых господа зачастую не понимали. «Литературный» господский язык, соответственно, был весьма темен для мужиков. И в хороводах не пели ни романсов, ни арий из опер Россини, а в гостиных не тянули «Вниз по матушке, по Волге», песню, которую слышал Грибоедов от встретившихся ему за Выборгской заставой крестьян.

С петровских времен русское общество разделилось на касты. Границы между ними были почти непроницаемы. Мужик во всяком дворянине видел барина и почти во всяком врага. А дворян в России было не так уж много. Даже в Петербурге, в столице, на каждого взрослого дворянина приходился добрый десяток мужиков.

Мужик при виде барина стаскивал с головы шапку и низко кланялся, но притом мог он думать про себя что-нибудь в роде подслушанного Каразиным: «Пора бы с господами и конец сделать». И отношение русского дворянина к мужику определялось их взаимной отчужденностью: либо мужика трактовали как вещь, либо стыдились собственного превосходства и чувствовали неловкость при виде мужицкой забитости.

В Петербурге было, вероятно, лишь два места, которые в равной мере посещали представители всех сословий. Лишь два, где и барина, и мужика объединяло целое общее занятие, на короткое время сглаживавшее остроту социальных различий. Первым из этих мест была церковь. Вторым – театр.

Надо сказать, что церквей в новой столице построили множество. Среди них – несколько великолепных соборов.

В старейшем из них – он был почти ровесником города – соборе Петра и Павла в крепости хоронили русских царей, начиная с Петра I. Стены собора были увешаны трофеями, взятыми в боях.

Великолепные богослужения в присутствии императора, членов августейшего семейства, придворных и генералитета регулярно совершались в церкви Зимнего дворца. Сюда съезжался весь петербургский большой свет. «Вчера надо было видеть всех дам в церкви, подумайте, были такие, у которых платья из штофа с отделкой выше колен», – отмечала современница.

Главным общегородским храмом с середины 1810-х годов стал Казанский собор. Величию его внешнего вида соответствовало великолепие внутреннего убранства. Множество колонн из розового гранита с бронзовыми капителями, скульптура, живопись. Даже и в будние дни здесь горело больше тысячи свечей и еще множество лампад перед алтарем; сделанные из золота и серебра, лампады ослепительно блестели. По стенам собора были развешаны 107 знамен и орлов, взятых у французов в 1812–1813 годах, здесь же находились ключи от многих городов и крепостей, жезл маршала Даву и другие трофеи.

13 июня 1813 года в Казанском соборе при огромном стечении народа был погребен М. И. Кутузов.

Велик, вместителен был двухъярусный Морской собор святого Николая в Коломне, возведенный в середине XVIII века по проекту С. И. Чевакинского.

Достопримечательность богатого собора Александро-Невской лавры составляла серебряная гробница Александра Невского.

Даже зимою, в морозы, можно было видеть, как многие петербуржцы снимали шапки, кланялись и крестились, идучи мимо церкви. Часто, однако, это было лишь следствием привычки, а не выражением набожности. Современники, особенно приезжавшие в Петербург иностранцы, говоря о пристрастии жителей русской столицы к обрядам, отмечали притом полнейшее равнодушие большинства из них к содержанию догматов религии.

В конце 1810-х – начале 1820-х годов набожность была в большой моде при русском дворе. Мода эта шла непосредственно от Александра I, ударившегося в «религиозные искания».

При покровительстве властей в Петербурге возникло Библейское общество, ставившее своей целью пропаганду Священного писания. Царь учредил объединенное министерство духовных дел и народного просвещения, во главе которого поставил князя А. Н. Голицына, вполне разделявшего мистические увлечения царя. Немалую роль при дворе стал играть иеромонах Фотий, который, между прочим, прославился своими видениями. Он, например, рассказывал о том, что якобы сатана подсылал к нему злого духа и тот подбивал иеромонаха совершить чудо: перейти «по воде яко по суху против самого дворца через реку Неву».

Религиозное ханжество придворных кругов в среде дворянской молодежи отзывалось насмешками и злыми стихами, вроде приписываемой Пушкину эпиграммы на Фотия:

Полу-фанатик, полу-плут;
Ему орудием духовным
Проклятье, меч, и крест, и кнут.
Пошли нам, господи, греховным,
Поменьше пастырей таких, –
Полу-благих, полу-святых.

Настроение дворянской молодежи, далеко от всякой мистики и религиозности, вместе с тем чуждо было и скептицизма. Напротив, молодежь скорее склонна была к восторженности. Мысли были высокие. С пафосом писали, говорили, думали . . .

Пафос общения с высоким, с прекрасным – это было и в церкви. Но церковный пафос был запредельным, неземным. Пафос прекрасного в людях, пафос высокого на земле – это было в театре. Одним из центров духовной жизни молодого Петербурга в те годы стало здание с восьмиколонным портиком и строгим фронтоном, напоминавшее об архитектуре античных храмов, – Большой, или Каменный, театр.

Волшебный край! там в стары годы,
Сатиры смелый властелин,
Блистал Фонвизин, друг свободы,
И переимчивый Княжнин;
Там Озеров невольны дани
Народных слез, рукоплесканий
С младой Семеновой делил;
Там наш Катенин воскресил
Корнеля гений величавый;
Там вывел колкий Шаховской
Своих комедий шумный рой,
Там и Дидло венчался славой,
Там, там, под сению кулис,
Младые дни мои неслись.

Конец 1810-х – начало 1820-х годов было временем небывалого, страстного увлечения театром. Быть молодым человеком «с душою благородной» – значило быть театралом. Толки о пьесах, об актерах, о закулисных интригах, о прошлом и будущем театра занимали едва ли не столько же времени, сколько и споры о политике. А «чердак» князя А. А. Шаховского – плодовитого драматурга, главного режиссера и заведующего репертуарной частью русской драматической труппы – своей популярностью превосходил самые модные салоны высшего света.

На «чердаке», как в шутку именовали верхний этаж дома в Средней Подъяческой, где жил Шаховской, можно было видеть молодых драматургов-водевилистов (в их числе Грибоедова, уже писавшего «Горе от ума»), актеров и актрис, учеников театральной школы, гвардейских офицеров, переводчиков, поэтов и просто завзятых театралов. В апреле 1819 года Василий Львович Пушкин писал в Варшаву Вяземскому: «Шаховской . . . мне сказывал, что племянник мой у него бывает почти ежедневно».

Времена были таковы, что полковник Преображенского полка мог военной карьере безусловно предпочитать служение театру. Так именно поступил Павел Катенин. Он писал пьесы, снискал известность переводами трагедий Корнеля и Расина. Кроме того, преподавал декламацию молодым актерам – к нему от Шаховского перешли учиться юные

Колосова и Каратыгин. «Дерзок и подбирает в партере партии, дабы господствовать в оном и заставлять актеров и актрис искать его покровительства», – говорил о Катенине петербургский генерал-губернатор граф Милорадович. Губернатор был прав в том, что в партере Большого театра тоже существовала «молодая партия», и Павел Катенин, член тайного Военного общества, автор вольнодумных стихов, был одним из ее вождей.

Партер, раек, ложи, кресла – это зрительный зал Большого театра. И вместе – это Петербург.

Раек . . . Это купцы, приказчики, слуги – самая нетребовательная и благодарная публика.

А. А. Шаховской

Ложи . . . «Я видела сегодня княгиню Куракину, дорогая маменька; наши ложи были рядом, она меня не узнала сначала, но я ее хорошо узнала, поверите ли, она совсем не переменилась . . . На спектакле было довольно много народу и как нарядно, вы не поверите. Все молодые девицы едут с прическами, как на бал и с открытой шеей, все дамы в шляпах с цветами и перьями . . .» В ложи ездили не столько смотреть спектакли, сколько показывать наряды.

Первые ряды кресел . . . «Значительная часть нашего партера (то есть кресел) слишком занята судьбою Европы и отечества, слишком утомлена трудами, слишком глубокомысленна, слишком важна, слишком осторожна в изъявлении душевных движений, дабы принимать какое-нибудь участие в достоинстве драматического искусства (к тому же русского). И если в половине седьмого часу одни и те же лица являются из казарм и совета занять первые ряды абонированных кресел, то это более для них условный этикет, нежели приятное отдохновение. Ни в каком случае невозможно требовать от холодной их рассеянности здравых понятий и суждений, и того менее – движения какого-нибудь чувства. Следовательно, они служат только почтенным украшением Большого каменного театра, но вовсе не принадлежат ни к толпе любителей, ни к числу просвещенных или пристрастных судей. Еще одно замечание. Сии великие люди нашего времени, носящие на лице своем однообразную печать скуки, спеси, забот и глупости, неразлучных с образом их занятий, сии всегдашние передовые зрители, нахмуренные в комедиях, зевающие в трагедиях, дремлющие в операх, внимательные, может быть, в одних только балетах, не должны ль необходимо охлаждать игру самых ревностных наших артистов? . .» – это писал двадцатилетний Пушкин в первой своей статье, называвшейся «Мои замечания об русском театре».

Пристанище истинных ценителей искусства, истинных театралов – это главным образом «места за креслами», стоячий партер. Молодое население стоячего партера, штатское и гвардейское, можно было обвинить скорее в излишней пылкости, но никак не в равнодушии к драматическим талантам.

> Театра злой законодатель,
> Непостоянный обожатель
> Очаровательных актрис,
> Почетный гражданин кулис,
> Онегин полетел к театру,
> Где каждый, вольностью дыша,
> Готов охлопать entrechat,
> Обшикать Федру, Клеопатру,
> Моину вызвать (для того,
> Чтоб только слышали его).

Петербургский Большой театр – это и феерические балеты Дидло, и колкие комедии Шаховского, и бессчетные водевили, и комические, волшебные и прочие оперы . . . Большой театр – это и торжественные, героические трагедии, в которых действовали люди великих страстей, вершители великих дел. В трагедиях блистала неподражаемая Екатерина Семенова, «царица трагической сцены», одаренная, по словам Пушкина, «талантом, красотою, чувством живым и верным».

Юное, яркое, приподнятое ощущение жизни питало ту любовь к театру, к театральному, которая у молодежи была в крови. Эта любовь налагала отпечаток на чувства и мысли людей, а еще более на способ выражения чувств и мыслей. Мы вспоминаем о ней, когда видим двадцатилетного Пушкина прохаживающимся меж рядов кресел в Большом театре и показывающим знакомым и незнакомым портрет Лувеля – убийцы наследника французского престола герцога Беррийского – с дерзкой надписью: «Урок царям». Мы вспоминаем о ней, когда видим на Сенатской площади Александра Бестужева в парадном мундире, на виду у восставших солдат оттачивающим свою саблю о гранит скалы памятника Петру I . . .

П. А. Катенин

❀❀❀

19 ноября 1825 года в Таганроге неожиданно скончался император Александр I. Через пять дней об этом узнали в Петербурге. 27 ноября войска были приведены к присяге новому императору – Константину.

Константин, однако, категорически отказался вступить на престол и не пожелал приехать в столицу из Варшавы, где он жил в качестве наместника русского царя. Константин передавал трон своему младшему брату – Николаю.

Пришлось – второй раз за две недели – приводить к присяге гвардию. Николаю I присягали утром 14 декабря.

В большинстве полков присяга прошла гладко. Но в некоторых не обошлось без заминок. Так, когда читали текст новой присяги лейб-гренадерам, поручик Кожевников взбежал на галерею офицерского флигеля и оттуда закричал солдатам:

– Отвага! Зачем забываете клятву, данную Константину Павловичу? Кому присягаете? Все обман.

Поручика немедленно арестовали.

Пришлось арестовать нескольких офицеров, подбивавших солдат отказаться от присяги, и командира гвардейской артиллерии генерала Сухозанету. Неохотно присягал Измайловский полк . . .

А около одиннадцати утра в Зимний дворец прибежал начальник штаба гвардейского корпуса генерал Нейдгарт, перепуганный и растерянный.

– Ваше величество! – закричал он. – Московский полк в полном восстании. Шеншин и Фридерикс тяжело ранены, и мятежники идут к Сенату!

По городу с чрезвычайной быстротой стала распространяться эта весть: «Мятежники идут к Сенату! На Сенатской площади мятеж!»

Петербуржцы устремились к Сенатской площади.

Надо сказать, что во все время междуцарствия на улицах Петербурга народу толпилось больше, чем обычно. То и дело горожане собирались группами, говорили о будущем царе, обменивались новостями . . . 14 декабря с раннего утра люди разных званий стали собираться у Зимнего дворца, чтобы поглядеть на съезд придворных. Съезд был назначен на одиннадцать часов утра. Сенаторы, камергеры, камер-юнкеры, фрейлины в парадных каретах, разодетые, прибывали во дворец, чтобы поздравить императора и императрицу и участвовать в торжественном молебствии в дворцовой церкви.

Многолюдно было и возле казарм гвардейских полков: по городу ходили упорные слухи, что при новой присяге объявят о каких-то льготах и облегчении тягот для народа. Когда же стало известно, что на Сенатской площади стоят мятежные войска, толпы людей устремились к Сенату.

По плану, разработанному восставшими, площадь вокруг памятника Петру I должна была стать местом сбора нескольких полков. Однако с одиннадцати утра и почти до часу дня на площади стояли, выстроившись в каре возле памятника, одни лишь московцы – около восьмисот человек. За это время Николай I успел окружить восставших кольцом войск, которые подчинились – хотя многие и с видимой неохотой – приказам нового императора. На углу Адмиралтейской площади и Вознесенской улицы царь поставил первый батальон Преображенского полка. Конногвардейский полк стал вдоль набережной Невы. Семеновский полк стал у Манежа, коннопионеры отрезали площадь от Английской набережной. Батальон павловцев встал на Галерной улице. Кавалергардский, Измайловский, Егерский и часть Павловского полка были оставлены в резерве . . . Позднее к восставшим подошли подкрепления – сперва рота лейб-гренадер, затем – гвардейский морской экипаж и под конец – еще роты лейб-гренадер. Но внешне картина восстания за весь день почти не изменилась: в центре площади мятежники, по краям – правительственные войска, а внутри кольца окружения и вне его – огромная толпа народа.

Автопортрет. 1823

Очевидец, шедший по Петербургу в середине дня 14 декабря, рассказывал: «Чем далее отходил я от Адмиралтейства, тем менее встречал народа; казалось, что все сбежались на площадь, оставив дома свои пустыми». Декабрист А. Е. Розен, который с ротой финляндцев стоял на Исаакиевском мосту и отлично видел все пространство Сенатской площади, говорит, что народа там было вдесятеро больше, чем солдат. А ведь солдат с обеих сторон стояло больше десяти тысяч. Другой свидетель утверждает, что к месту событий сбежалось сто пятьдесят тысяч петербуржцев. Толпа заполняла не только Сенатскую площадь, но и прилегавшие к ней Адмиралтейский бульвар, Дворцовую площадь, набережную Невы и соседние улицы. Господ в толпе не было. По большей части это был все «черный народ»: мастеровые, дворовые, торговцы, приказчики . . . Настроение толпы было вполне определенным: она сочувствовала восставшим. Командира гвардейского корпуса генерала Воинова народ чуть не убил камнями. Какого-то адъютанта Николая I «измарали грязью». В самого императора и генерала его свиты летели поленья и камни. Николаю кричали: «Пойди сюда, . . . самозванец, мы тебе покажем, как отнимать чужое!» Несколько полицейских, в том числе и пристав 1-й Адмиралтейской части, попытавшиеся было разгонять народ, были жестоко избиты. Рабочие швыряли из-за забора строившегося Исаакиевского собора поленья в правительственные войска. Командир конногвардейцев, любимец Николая генерал Алексей Орлов, приказал было солдатам рассеять толпу.

«Чернь с дерзостью, кидая шапки вверх, кричала «ура» и кулаками грозила, – говорит свидетель событий. – И как она более и более продвигалась вперед, то Орлов приказал первым двум рядам эскадрона ударить на них в атаку. Во весь опор пустились рейтары. Но чернь без страху встретила их, начала хватать за уздцы лошадей и бросаться на рейтар, и они, обратив лошадей, отступили назад. Раза четыре подобно эскадрон шел в атаку и всякий раз обращался назад, быв не в состоянии уничтожить их. Последний раз она ⟨чернь⟩, набрав булыжнику, палок и досок, встретив эскадрон, начала все сие в них бросать. Град всего, брошенного чернью, принудил эскадрон обратиться вспять». Один из офицеров конной гвардии был ранен бревном в плечо, другой – булыжником в ногу. Самого генерала Орлова какой-то сенатский чиновник ухватил за ногу, пытаясь стащить с лошади . . .

Когда толпившемуся возле мятежного каре народу офицеры-декабристы объясняли цель восстания, из толпы отвечали: «Доброе дело, господа. Кабы, отцы родные, вы нам ружья али какое ни на есть оружие дали, то мы бы вам помогли, духом все бы переворотили». Но кровавой резни в городе дворяне-революционеры боялись еще больше, чем собственного поражения. И тысячи петербуржцев, наблюдавших за восстанием, остались по преимуществу лишь зрителями происходящего.

В числе зрителей можно было видеть людей, известных всему Петербургу.

Пришел на площадь И. А. Крылов. После он рассказывал, что приблизился к самому каре и увидел знакомых: Александра Бестужева, Вильгельма Кюхельбекера в военной шинели. Крылова также узнали и закричали ему: «Уходите, пожалуйста, Иван Андреевич!»

Н. М. Карамзин на площади пытался, по его выражению, «вразумить простодушных невежд», то есть объяснять законность присяги Николаю. Но историографа не стали слушать. Более того, и в него полетели камни. «Камней пять-шесть упало к моим ногам», – рассказывал Карамзин через несколько дней в письме к И. И. Дмитриеву.

14 декабря на Сенатской площади противостояли друг другу, собственно, те же силы, что на протяжении предыдущего десятилетия вели между собой нескончаемый спор – в гостиных и в салонах, в канцелярии петербургского генерал-губернатора и в казармах Семеновского полка, в Большом театре и в Вольном обществе любителей российской словесности . . .

К. Ф. Рылеев и С. П. Трубецкой

14 декабря на Сенатской площади на стороне сил разума и справедливости выступили несколько десятков молодых офицеров, несколько поэтов, на их стороне была поддержка солдатской массы и огромной части столичного населения. На стороне сил косности и угнетения, на стороне самодержавия и рабства оказалось большинство гвардейского офицерства, весь генералитет, все высшие сановники столицы и империи. На их стороне была солдатская привычка беспрекословно подчиняться команде, извечный страх солдат перед офицерами. И, наконец, боязнь дворян-революционеров действовать слишком резко, боязнь выпустить движение из-под контроля.

К четырем часам дня на Сенатской площади собралось около трех тысяч мятежных войск и около двенадцати тысяч – правительственных. Александр Бестужев впоследствии писал, что ждал присоединения измайловцев – и тогда решился бы возглавить атаку, план которой все время вертелся у него в голове. С наличными силами – они были значительно меньше тех, на которые рассчитывали декабристы накануне, – восставшие не решались перейти к активным действиям.

Не решался и Николай. Попытки разогнать мятежников кавалерией не дали никакого результата: восставшие стреляли преимущественно в воздух, а кавалеристы, не доскакав до каре, поворачивали назад. Ни те, ни другие явно не хотели бить своих. Николай понимал, что и его войска ненадежны.

К концу дня, когда ситуация стала критической, царь, наконец, решился прибегнуть к артиллерии. Офицеры, посланные на Выборгскую сторону, в артиллерийскую лабораторию, на извозчиках подвезли к площади боевые снаряды. Николай велел зарядить пушки и скомандовал: «Пальба орудиями по порядку, правый фланг, начинай, первая . . .» Но орудия молчали. Солдат-артиллерист не решился вложить запал. К нему подскочил командовавший батареей штабс-капитан Бакунин. «Свои, ваше благородие . . .,» – сказал солдат. Бакунин выхватил у него фитиль, и в ряды восставших ударила картечь.

На первый выстрел из каре ответили криками «ура» и оружейными залпами. Но посылаемая почти в упор картечь косила людей. Восставшие стали отступать – одни спустились на лед Невы, другие отходили по Галерной улице . . .

Восстание было разгромлено. Мятежные полки вернулись в свои казармы. На Сенатской площади и льду Невы остались сотни убитых и раненых. Семьсот солдат было отправлено в Петропавловскую крепость.

В ночь на 15 декабря Петербург имел вид захваченного неприятелем города. На Сенатской площади стояла лагерем конная гвардия. Вход в Гороховую охраняли два батальона Егерского полка и четыре эскадрона кавалергардов. У Малой Миллионной, у Большой Миллионной, у казарм Преображенского полка на Зимней канавке и на Дворцовой набережной у Эрмитажного театра стояли пикеты егерей. У Зимнего дворца на набережной Невы стояли батареи – четырехпушечная и восьмипушечная. Парадный подъезд с набережной охранял батальон измайловцев, рядом расположились два эскадрона кавалергардов. На Дворцовой площади – Преображенский полк и при нем четыре пушки. Во дворе Зимнего дворца стоял гвардейский саперный батальон и первая гренадерская рота Преображенского полка . . .

«В 7 часов вечера я отправился домой, – рассказывает столичный житель, – и вот необычайное в С.-Петербурге зрелище: у всех выходов дворца стоят пикеты, у всякого пикета ходят два часовых, ружья в пирамидах, солдаты греются вокруг горящих костров, ночь, огни, дым, говор проходящих, оклики часовых, пушки, обращенные жерлами во все выходящие от дворца улицы, кордонные цепи, треск горящих дров, все это было наяву в столице . . .»

Николай боялся продолжения восстания в Петербурге.

Но продолжать было некому. Уже вечером 14 декабря в Зимний дворец, из которого, по выражению Н. Бестужева, устроили съезжую, стали приводить первых арестованных. В их числе были офицер Московского полка Щепин-Ростовский, Рылеев, моряк Михаил Кюхельбекер. По своей воле явился Александр Бестужев. В доме австрийского посла был арестован неудавшийся диктатор восстания Трубецкой . . .

Так закончился самый славный и трагический день в истории пушкинского Петербурга.

Как известно, на прямой вопрос Николая I – где бы он был, если бы 14 декабря оказался в столице, Пушкин отвечал, что был бы там, где все его друзья – на Сенатской площади . . .

РЕПРОДУКЦИИ

ПАНОРАМА ПЕТЕРБУРГА

1–3

НЕВА, НАБЕРЕЖНЫЕ

4–11

ДВОРЦОВАЯ ПЛОЩАДЬ

12–16

ЗИМНИЙ ДВОРЕЦ, АДМИРАЛТЕЙСТВО, ГЛАВНЫЙ ШТАБ, ЭРМИТАЖ

17–20

ЛЕТНИЙ САД

21–25

МИХАЙЛОВСКИЙ ЗАМОК

26

ФОНТАНКА

27–30

НЕВСКИЙ ПРОСПЕКТ

31–42

ВСТРЕЧИ ПОБЕДИТЕЛЕЙ, ПАРАДЫ

43–45

ЦАРИЦЫН ЛУГ (МАРСОВО ПОЛЕ), МОЙКА

46–51

СЕНАТСКАЯ (ПЕТРОВСКАЯ) ПЛОЩАДЬ. ПАМЯТНИК ПЕТРУ I

52

ИСААКИЕВСКИЙ МОСТ И АНГЛИЙСКАЯ НАБЕРЕЖНАЯ.
ИСААКИЕВСКАЯ ПЛОЩАДЬ

53–58

САДОВАЯ, СЕННАЯ, ГОРОХОВАЯ

59–74

КОЛОМНА. БОЛЬШОЙ (КАМЕННЫЙ) ТЕАТР

75–83

ЧАСТИ – ТРЕТЬЯ АДМИРАЛТЕЙСКАЯ, МОСКОВСКАЯ, ЛИТЕЙНАЯ

84–93

ПРАЗДНИКИ, РАЗВЛЕЧЕНИЯ

94–100

ДАЧИ, ОСТРОВА

102–109

ОКРАИНЫ

110–112

НАВОДНЕНИЕ 7 НОЯБРЯ 1824 ГОДА

113–117

ПЛОЩАДИ – АДМИРАЛТЕЙСКАЯ И СЕНАТСКАЯ 14 ДЕКАБРЯ 1825 ГОДА

118–120

1–3. Панорама Петербурга, снятая с башни Кунсткамеры. Акварель А. Тозелли. 1817–1820. Фрагменты.

4. Вид Английской набережной со стороны Васильевского острова.
Картина Ф. Я. Алексеева. Начало XIX в.

5. *Вид на Адмиралтейство и Дворцовую набережную со стороны Васильевского острова.*
Картина Ф. Я. Алексеева. 1817.

6. Вид на стрелку Васильевского острова от Петропавловской крепости. Картина Ф.Я.Алексеева. 1810.

7. Вид Невы, порта и Биржи на стрелке Васильевского острова.
Гравюра по рисунку М.-Ф. Дамам-Демартре. 1810-е гг.

8. Вид Невы и Петропавловской крепости зимою.
Раскрашенная гравюра по рисунку М.-Ф. Дамам-Демартре. 1810-е гг.

9. Нева у стрелки Васильевского острова.
Раскрашенная гравюра. 1810-е гг.

10. Набережная Невы у Зимнего дворца. Рисунок М. Н. Воробьева. 1810-е гг.

11. Большая Нева. Акварель М.Н.Воробьева. 1810-е гг.

12. Вид на Дворцовую площадь от начала Невского проспекта. Картина Б. Патерсена. Начало XIX в.

13. Дворцовая площадь от Адмиралтейства. Акварель неизвестного художника. Начало XIX в.

14. Дворцовая площадь. Гуашь И.-В.-Г. Барта. 1810.

15. Развод караула на Дворцовой площади. Картина И.-Г. Майра. Начало XIX в.

16. Арка Главного штаба. Раскрашенная литография К. П. Беггрова. 1822.

17. Вид на Зимний дворец и Адмиралтейство. Раскрашенная литография А. Е. Мартынова. Около 1820 г.

18. Зимний дворец со стороны набережной. Литография. 1820-е гг.

19. Мост через Зимнюю канавку по Миллионной улице. Литография А.Е. Мартынова. Около 1820 г.

20. Вид на арку Эрмитажа, Эрмитажный мост и Петропавловскую крепость.
Раскрашенная гравюра по рисунку И.А. Иванова. 1810-е гг.

21. Вид на Дворцовую набережную от Петропавловской крепости. Раскрашенная гравюра Б. Патерсена. Начало XIX в.

*22. Вид от домика Петра I на Летний сад и Дворцовую набережную.
Раскрашенная гравюра. 1820-е гг.*

23. Вид на Неву и Летний дворец Петра I. Картина А. Е. Мартынова. 1810-е гг.

24. Летний сад и набережная Фонтанки. Раскрашенная литография А. Е. Мартынова. Около 1820 г.

25. Вид из Летнего сада на Михайловский замок и набережную Фонтанки. Раскрашенная литография А. Е. Мартынова. Около 1820 г.

26. Вид на Михайловский замок со стороны главного фасада. Раскрашенная гравюра Б. Патерсена. Начало XIX в.

27. Симеоновский мост через Фонтанку. Раскрашенная литография А. Е. Мартынова. Около 1820 г.

28. Фонтанка, вид от Аничкова к Симеоновскому мосту.
Литография К. П. Беггрова по рисунку К. Ф. Сабата и С. П. Шифляра. 1820-е гг.

29. Вид на Аничков мост с набережной Фонтанки возле дома Нарышкина. Литография. 1820-е гг.

30. Набережная Фонтанки.
Раскрашенная гравюра по рисунку М.-Ф. Дамам-Демартре. 1810-е гг.

31. Фонтанка у Невского проспекта.
Раскрашенная литография по рисунку А. А. Тона. 1822.

32. Вид Аничкова дворца с принадлежащим к нему строением. Раскрашенная гравюра И. И. Теребенева. 1814.

33. Вид Гостиного двора. Раскрашенная гравюра И. А. Иванова. 1815.

34. Невский проспект у Публичной библиотеки. Гравюра С.Ф.Галактионова по рисунку П.П.Свиньина. 1810-е гг.

35. Публичная библиотека. Литография. 1820-е гг.

36. Вид Невского проспекта с частью Гостиного двора и Городской думы. Рисунок С. Попова. 1811.

37. Вид Мойки у Полицейского моста. Гравюра по рисунку М.-Ф. Дамам-Демартре. 1810-е гг.

38. Полицейский мост на Невском проспекте. Раскрашенная гравюра Б. Патерсена. 1810-е гг.

39. Казанский собор со стороны Невского проспекта.
Акварель Б. Патерсена. 1810-е гг.

40. Похороны М. И. Голенищева-Кутузова в Казанском соборе.
Гравюра М. Н. Воробьева. 1814.

11. Вид на Казанский собор со стороны Екатерининского канала.
Картина А.Е. Мартынова. 1810-е гг.

42. Вид Казанского собора в Петербурге.
Картина Ф. Я. Алексеева. 1810-е гг.

43. Торжественное возвращение С.-Петербургского ополчения ⟨. . .⟩ июня 12-го дня 1814 года.
Раскрашенная гравюра И. А. Иванова. 1816.

44. Смотр гвардейских частей на Дворцовой площади.
Раскрашенная гравюра. 1810-е гг.

45. Празднество 1816 года марта 19-го С.-Петербурге (вторая годовщина вступления русских войск в Париж). Акварель И. А. Иванова. 1816.

46. Вид Царицына луга (Марсова поля) от Верхнего (Михайловского) сада. Раскрашенная гравюра И. А. Иванова. 1814.

47. Марсово поле с обелиском «Румянцева победам». Картина И. Г. Майра. Начало XIX в.

48. Вид Царицына луга от Летнего сада. Литография С. Ф. Галактионова. 1821.

49. Лебяжий канал у Летнего сада и Царицына луга. Акварель неизвестного художника. 1820-е гг.

50. Конюшенный мост через Мойку у Мошкова переулка. Раскрашенная литография А. Е. Мартынова. Около 1820 г.

51. Вид Мойки у Конюшенного ведомства. Раскрашенная литография А. Е. Мартынова. 1809.

52. Исаакиевская площадь.
Акварель Б. Патерсена. Начало XIX в.

53. Сенатская (Петровская) площадь. Памятник Петру I.
Раскрашенная гравюра. 1820-е гг.

54. *Исаакиевский плашкоутный мост. Гравюра по рисунку М.-Ф. Дамам-Демартре. 1810-е гг.*

55. *Постройка берегового устоя для нового Исаакиевского моста со стороны Сенатской площади. Литография по рисунку Г. Треттера. 1820-е гг.*

56. *Новый Исаакиевский мост. Литография по рисунку Г. Треттера. 1820-е гг.*

*57. Вид на Адмиралтейство, Адмиралтейскую и Исаакиевскую площади от Манежа.
Литография. 1820-е гг.*

58. Вид на новый Исаакиевский мост и Английскую набережную.
Литография. 1820-е гг.

59. Садовая улица, угол Гороховой.
Литография К. П. Беггрова по рисунку К. Ф. Сабата и С. П. Шифляра. 1820-е гг.

60. Садовая улица возле Ассигнационного банка.
Литография К. П. Беггрова по рисунку К. Ф. Сабата и С. П. Шифляра. 1820-е гг. Фрагмент.

61. Вид Сенной площади. Акварель К.П. Беггрова с литографии А.П. Брюллова. 1822.

62. На Сенном рынке. Рисунок А.Г. Венецианова. 1820-е гг.

63. Вид Сенной площади в Санкт-Петербурге. Раскрашенная гравюра И. А. Иванова. 1814.

64. Ямской базар. Литография А. О. Орловского. 1820.

65. Извозчичья биржа. Литография А.О.Орловского. 1820.

66. У дровяного склада. Литография А.О.Орловского. 1820.

67. У мучных амбаров. Литография А.О.Орловского. 1820.

68. Грешневишник. Раскрашенная литография с оригинала А.О. Орловского. 1820.

69. Мальчик – разносчик булок. Раскрашенная литография с оригинала А.О.Орловского. 1820.

70. Молочницы. Раскрашенная литография К. И. Кольмана. 1820-е гг.

71. Продавец хлеба. Раскрашенная литография К. И. Кольмана. 1820-е гг.

72. Закусочная и табачная лавка. Литография. 1820-е гг.

73. Извозчик и будочник. Литография. 1820-е гг.

74. Красный мост через Мойку по Гороховой улице. Акварель неизвестного художника. 1820-е гг.

75. Вид Никольского собора со стороны Крюкова канала. Литография К. П. Беггрова по рисунку К. Ф. Сабата. 1823.

76. Новая Голландия. Раскрашенная литография А. Е. Мартынова. Около 1820 г.

77. Большой театр в Петербурге. Картина И.Г. Майра. Начало XIX в. Фрагмент.

78. Большой (Каменный) театр. Рисунок А.Е. Мартынова. 1810-е гг.

79. Большой (Каменный) театр. Литография А.Е. Мартынова. Около 1820 г.

80. Большой (Каменный) театр.
Рисунок неизвестного художника. 1810-е гг.

81. Зрительный зал петербургского Большого театра.
Гравюра С. Ф. Галактионова по рисунку П. П. Свиньина. 1820-е гг.

82. Щеголь в дрожках.
Литография по рисунку А. О. Орловского. 1820-е гг.

83. Грелка на площади у Большого театра.
Литография К. П. Беггрова по рисунку К. Ф. Сабата и С. П. Шифляра. 1820-е гг. Фрагмент.

84. Вид на Измайловский мост через Фонтанку и на казармы. Гравюра по рисунку М.-Ф. Дамам-Демартре. 1810-е гг.

85. Вид Фонтанки от Измайловского моста. Литография К. П. Беггрова по рисунку Е. И. Есакова. 1823.

86. Обуховский мост через Фонтанку. Литография К. П. Беггрова. 1823.

87. Гостиная Олениных.
Акварель неизвестного художника. 1820-е гг.

88. У окна в летнюю ночь.
Гуашь Ф. П. Толстого. 1822.

89. Вид церкви Владимирской богоматери. Раскрашенная гравюра И. А. Иванова. 1815.

90. Больница для бедных на Литейной улице. Литография. 1820-е гг.

91. Вид Старого Арсенала. Литография С. Ф. Галактионова. 1822.

92. *Вид цепного Пантелеймоновского моста через Фонтанку.*
Литография К. П. Беггрова по рисунку Г. Треттера. 1820-е гг.

93. Вид из Летнего сада на набережную Фонтанки.
Рисунок Г. Г. Чернецова. 1820-е гг.

94. Крещенский парад на Неве. Рисунок М.Н.Воробьева. 1810-е гг.

95. Бега на Неве. Акварель А. О. Орловского. 1814.

96. Вид набережной Невы в день Преполовления. Раскрашенная гравюра И. А. Иванова. 1815.

97. Спуск корабля на Неве. Акварель Ф. Ф. Шенрока. 1819.

98. Катальные горы на Большой Неве.
Раскрашенная гравюра Н. Серракаприола. 1817.

99. Гулянье на Крестовском острове.
Литография А. П. Брюллова. 1822.

1813.
Paris

100. Дорога в Красный кабачок. Гравюра по рисунку А. И. Зауервейда. 1813.

101. У городской заставы. Литография А. О. Орловского. 1820.

102. Триумфальные ворота.
Акварель К. П. Беггрова с его же литографии по рисунку К. Ф. Сабата и С. П. Шифляра. 1820-е гг.

103. Вид Новой деревни с Каменного острова. Картина Б. Патерсена. 1801.

104. Каменноостровский дворец от Аптекарского острова. Картина Б. Патерсена. 1804.

105. Вид на Таврический дворец от дачи графа Безбородко. Раскрашенная гравюра Б. Патерсена. Начало XIX в. Фрагмент.

106. Вид на Каменноостровский дворец через Большую Невку со стороны Строгановской набережной. Картина Семена Ф. Щедрина. 1803. Фрагмент.

107. Вид на Каменноостровский дворец через Большую Невку со стороны Строгановской набережной. Картина Семена Ф. Щедрина. 1803.

108. Вид с Петровского острова в Петербурге.
Картина Сильвестра Ф. Щедрина. 1811.

109. Вид петербургских островов и Невы с одним из первых русских пароходов.
Картина Т. А. Васильева (?). 1820.

110. Вид Невского монастыря (Александро-Невская лавра). Раскрашенная гравюра И. А. Иванова. 1815.

111. Вид в Галерной гавани в С.-Петербурге. Сепия Г. Г. Чернецова. 1820-е гг.

112. Вид на Смольный монастырь с противоположного берега Невы. Рисунок Н. Г. Чернецова. 1823.

Г. Чернецовъ
Видъ въ Галерной гавани въ С. Петербургѣ

113. Нева у Стрелки Васильевского острова. Осень.
Акварель неизвестного художника. 1820-е гг.

114. 7 ноября 1824 года. Наводнение в С.-Петербурге.
Рисунок с натуры Г. Г. Чернецова.

115. 7 ноября 1824 года на площади у Большого театра. Картина Ф.Я. Алексеева (?). 1824.

116. Петербургское наводнение 7 ноября 1824 года. Гравюра. 1820-е гг.

117. Петербургское наводнение 7 ноября 1824 года. Гравюра С.Ф. Галактионова. 1824.

118. Вид от Дворцовой площади на Адмиралтейство. Гуашь И.-В.-Г. Барта. 1810-е гг.

119. Сенатская (Петровская) площадь. Гуашь И.-В.-Г. Барта. 1810-е гг.

120. 14 декабря 1825 года на Сенатской площади. Акварель К.И. Кольмана. 1820-е гг.

1820—1830-е годы

В первой четверти XIX века население Петербурга увеличилось более чем вдвое: с двухсот тысяч человек в 1801 году до четырехсот сорока тысяч в 1825 году. Но во второй половине 1820-х и в 1830-е годы жителей в городе почти не прибавилось. Разумеется, бурный рост столицы не мог продолжаться бесконечно. Возникнув по воле одного человека, Петербург существовал и развивался в связи с потребностями и возможностями страны. Если в первые годы XIX века провинция дала столице сотни тысяч рабочих рук, то теперь через петербургские заставы въезжало и входило в город почти столько же людей, сколько ехало и шло им навстречу. Так, в 1833 году русских всех сословий прибыло в Петербург 33369 человек, убыло – 33838. В следующем году прибыло 93339 человек, убыло – 94068.

Вплоть до 1830-х годов Петербург был строящимся городом – на это указывали пустыри и заборы в самом центре столицы. Но столицу уже достраивали. Именно в конце 1820-х и в 1830-е годы получили завершение архитектурные ансамбли центра Петербурга, возникшие в предшествующее десятилетие.

Старожилы в это время еще помнили, как на месте Дворцовой площади и кварталов, заключенных между площадью, Миллионной и Невским проспектом, простирался луг, поросший кустами, среди которых паслись дворцовые коровы. Еще в начале века часть стрелки Васильевского острова представляла собою пустырь. Еще в 1810-х годах на месте Михайловского дворца и соседних зданий пролегала «малопроезжая улица», за которой начинались огороды . . . Но вот на Дворцовой площади достроили Главный штаб и воздвигли Александровскую колонну – гранитный монолит высотою в двенадцать сажен, в то время высочайшее в мире сооружение такого рода. На Сенатской площади построили новые Сенат и Синод. Невский проспект украсился зданием Александринского театра. Рядом с театром выросло новое здание Публичной библиотеки. А за театром продолжили Театральную улицу, по сторонам которой встали два здания – каждое длиною двести двадцать метров. На стрелке Васильевского острова рядом с Биржей появились два пакгауза и таможня. На Исаакиевской площади в сетке строительных лесов уже угадывались очертания огромного собора.

В 1830-х годах архитектурный облик города обретает черты классической ясности и законченности. А между тем именно в это время совершенно меняется восприятие города современниками.

Стройность и строгость белых колонн, вытянувшихся рядами, как на смотру, вдоль бесконечной глади желтых стен. «Строгий, стройный вид» невской столицы. Когда Пушкин воспевает его в «Медном всаднике», он говорит о Петербурге как о символе новой России. Красота города для поэта – выражение его великой исторической значимости для судеб страны.

Красуйся, град Петров, и стой
Неколебимо, как Россия . . .

Но когда Пушкин говорит о том Петербурге, который видит каждодневно, о Петербурге 1830-х годов, он находит иные слова:

Город пышный, город бедный,
Дух неволи, стройный вид . . .

Если прежде стройность Петербурга казалась изящной, его строгость – величественной, то теперь стройность представлялась скучной, а строгость – холодной. В облике города виделись новые черты.

Явившийся в столицу в канун 1829 года провинциальный юноша Гоголь-Яновский так выразил в письме домой первое впечатление от Петербурга: «Тишина в нем необыкновенная, никакой дух не блестит в народе, все служащие да должностные, все толкуют

Рисунок на черновой рукописи поэмы «Тазит»

о своих департаментах да коллегиях, все подавлено, все погрязло в бездельных, ничтожных трудах, в которых бесплодно издерживается жизнь их. Забавна очень встреча с ними на проспектах, тротуарах; они до того бывают заняты мыслями, что, поравнявшись с кем-нибудь из них, слышишь, как он бранится и разговаривает сам с собою, иной приправляет телодвижениями и размашками рук».

Действительно, фигура чиновника – в потертой шинели, в измятом сюртуке – виднелась теперь на переднем плане в картине столичной жизни. Во-первых, потому, что чиновников в Петербурге было много: в 1832 году – 13528 всех четырнадцати классов, включая канцелярских служителей. Во-вторых, потому, что усердный служака, бессловесный исполнитель, каким был обыкновенно чиновник, – лицо, чрезвычайно характерное для эпохи. И, наконец, потому, что этот робкий и смирный чиновник, которого режим, казалось, низвел до роли живого орудия, все же, вопреки воле начальства, проявлял естественное стремление остаться человеком, все же питал в душе дерзкие мысли о «независимости и чести»:

> . . . домой пришед, Евгений
> Стряхнул шинель, разделся, лег.
> Но долго он заснуть не мог
> В волненьи разных размышлений,
> О чем же думал он? О том,
> Что был он беден, что трудом
> Он должен был себе доставить
> И независимость и честь;
> Что мог бы бог ему прибавить

Два автопортрета. 1826

Ума и денег. Что ведь есть
Такие праздные счастливцы,
Ума недальнего ленивцы,
Которым жизнь куда легка!
Что служит он всего два года . . .

С этими словами вошел в русскую литературу петербургский «маленький человек» – бедный житель столицы, непременно чиновник, мелкий, незаметный чиновник, добродушный, честный малый. Он оказался героем времени. В недрах Петербурга, в его канцеляриях, на его улицах и в его домах «маленький человек» изо дня в день вел борьбу за свое человеческое достоинство. Борьбу отчаянную и безнадежную, потому что «маленькому человеку» противостояла мощь государства . . .

Символом этой государственной мощи, символом Петербурга как центра самодержавной России, символом, исполненным глубокого смысла и выразительности, был воздвигнутый на берегу одетой в гранит Невы памятник Петру I, конная статуя работы Э.-М. Фальконе.

В памятнике Фальконе присутствовала традиционная классицистическая символика: всадник – власть, конь – народ.

О мощный властелин судьбы!
Не так ли ты над самой бездной,
На высоте, уздой железной
Россию поднял на дыбы?

Пушкин столкнул «маленького человека» с фигурой бронзового царя, ставя центральную для эпохи проблему – личность и государство. В «Медном всаднике» проблема эта поставлена во всей ее широте как проблема историческая, философская, нравственная. Поэт признает существование «надличной» исторической справедливости. Но от этого он не перестает ощущать трагичность судьбы своего героя, нечаянно раздавленного победным движением прогресса. И сумасшествие Евгения не есть только исход его несчастной любви – это выражение его неприятия существующей действительности.

Добро, строитель чудотворный! –
Шепнул он, злобно задрожав, –
Ужо тебе!..

Именно в 1830-х годах началась та волна сумасшествий, которая прокатилась по России на протяжении царствования Николая I.

Согласно официальной статистике, в петербургских психиатрических больницах содержалось не так уж много умалишенных – в 1832 году, например, их было 285 человек. Но в конце 1830-х годов весьма благонамеренный автор справочной книги о Петербурге, старавшийся всячески восхвалять достоинства невской столицы, сообщает как факт общеизвестный: «В Петербурге, где большая часть населения составлена из людей, проводивших первые лета юности или за границею или внутри России, ипохондрия почти обыкновенная болезнь. Воспоминания о родине, сердечные утраты, обманутые надежды . . . превращают в ипохондриков людей, прежде не показывавших ни малейших следов сей болезни . . .»

Петербургская жизнь совершенно определенным образом влияла на душевное состояние горожан, наталкивала на мысли определенного рода:

Не дай мне бог сойти с ума.
Нет, легче посох и сума:
    Нет, легче труд и глад.
Не то, чтоб разумом моим
Я дорожил; не то, чтоб с ним
    Расстаться был не рад:

Когда б оставили меня
На воле, как бы резво я
    Пустился в темный лес!
Я пел бы в пламенном бреду,
Я забывался бы в чаду
    Нестройных, чудных грез.

И я б заслушивался волн,
И я глядел бы, счастья полн,
    В пустые небеса;
И силен, волен был бы я,
Как вихорь, роющий поля,
    Ломающий леса.

Эти стихи были написаны Пушкиным в 1833 году, как и «Медный всадник». А в следующем году Пушкин пишет «Пиковую даму».

Героя этой повести Ф. М. Достоевский назвал «совершенно петербургским типом». Германн тоже «маленький человек». Но он в отличие от Евгения из «Медного всадника» заботится не о тòм, чтобы остаться человеком, но о том, чтобы выбиться «в люди». Выбиться во что бы то ни стало – пусть даже ценою утраты собственно человеческих качеств. В Петербурге 1830-х годов у Германна нет ни малейшей надежды занять в жизни место более высокое, чем то, которое соответствует его бедности и малому чину. И все, что ему остается, – строить несбыточные планы, предаваться честолюбивым мечтам. Он уже готов всерьез поверить шутливой сказке и свои жизненные планы основывает на вере в замысел. Расчетливый Германн безвозвратно переселяется в фантастический мир.

Как и для скромных надежд героя «Медного всадника», для честолюбия, для сильных страстей Германна нет иного выхода, кроме безумия. «Германн сошел с ума. Он сидит в Обуховской больнице в 17-м нумере, не отвечает ни на какие вопросы и бормочет необыкновенно скоро: – Тройка, семерка, туз! Тройка, семерка, дама!..»

. . . сойди с ума,
И страшен будешь, как чума,
    Как раз тебя запрут,
Посадят на цепь дурака
И сквозь решетку, как зверка,
    Дразнить тебя придут.

А ночью слышать буду я
Не голос яркий соловья,
    Не шум глухой дубров –
А крик товарищей моих
Да брань смотрителей ночных,
    Да визг, да звон оков.

Художники 1830-х годов оставили нам множество видов Петербурга – величественного и нарядного города. Когда мы смотрим на эти изображения стройной архитектуры и пестрого быта, в характерном облике города нам видятся черты не только прекрасного, но и жестокого, холодного Петербурга – того Петербурга, где погиб безумный Евгений, где погиб безумный Германн, того Петербурга, где погиб Пушкин.

❁❁❁

Когда на петербургской улице времен Николая I мы видим, среди других, человека в усах, можно смело предположить, что перед нами военный – либо на службе, либо в отставке: усы были привилегией военных, и даже лекарям военного ведомства, даже капельмейстерам военных оркестров, как людям, не носящим оружия, не дозволялось носить и усы. Отращивание усов без бороды человеком штатским почиталось непростительной вольностью. На сей счет был даже издан особый указ.

По выездной ливрее лакея на запятках кареты можно было определить общественное положение владельца экипажа. Шляпка на голове прогуливающейся дамы достоверно свидетельствовала, что обладательница шляпки не мещанка и не купчиха – те носили национальные головные уборы.

На все была форма. Строго регламентируя не только общественную, но даже и частную жизнь подданных, правительство Николая I думало навести в стране идеальный порядок. При этом неизбежно на первое место в системе государственного управления должны были выдвинуться полицейские органы.

Уже в начале января 1826 года генерал Бенкендорф, недавно отличившийся при подавлении восстания декабристов, представил новому царю «Проект об устройстве высшей полиции». Бенкендорф писал: «События 14-го декабря и страшный заговор, подготовлявший уже более десяти лет эти события, вполне доказывают ничтожество нашей полиции и необходимость организовать новую полицейскую власть по обдуманному плану, приведенному как можно быстрей в исполнение».

Николай I полностью разделял мнение своего генерал-адъютанта. 25 июня 1826 года был издан указ об организации жандармской полиции во главе с шефом жандармов Бенкендорфом. Неделю спустя другим указом Особая канцелярия министерства внутренних дел была преобразована в Третье отделение собственной его императорского величества канцелярии и во главе его поставлен тот же Бенкендорф.

Третье отделение, разместившееся на Мойке в доме Таля, недалеко от Синего моста, было учреждением совсем небольшим – штат его составляли всего шестнадцать чиновников. Зато руководимая Третьим отделением жандармская полиция (впоследствии Отдельный корпус жандармов) была многочисленна. Империя поделена была на пять жандармских округов. Во главе каждого округа стоял генерал. В каждую губернию назначен был один штаб-офицер и несколько обер-офицеров, в распоряжении которых находилась жандармская команда. Кроме того, к услугам Третьего отделения и его жандармерии были многочисленные агенты – платные и добровольные.

Третье отделение обязано было бороться с политическими преступлениями и взяточничеством, с казнокрадством и расколом, оно занималось фальшивомонетчиками, иностранцами, особо опасными уголовными преступниками, русской литературой и многим другим. Круг интересов Третьего отделения был столь обширен именно потому, что это учреждение являлось инспекционным органом, призванным контролировать деятельность и всего государства в целом, и каждого подданного в отдельности. В делах Третьего отделения имеются сведения о мужике, распространявшем слух про будто бы явившегося где-то нового Пугачева, атамана Метелкина, и говорившего, что «Пугачев попугал господ, а Метелкин пометет их». Здесь же можно найти характеристику министра внутренних дел графа А. А. Закревского, про которого сказано: «Гр. Закревский деятелен и враг хищений, но он совершенно невежда». В бумагах Третьего отделения постоянно мелькало имя состоявшего под тайным надзором поэта Пушкина. Главным инспектором и контролером в государстве был сам Николай I. А Третье отделение – «глаза и уши государевы» – являлось как бы неким дополнением к личности царя, благодаря которому монарх становился почти вездесущим. К этому именно и стремился Николай – знать обо всем, что делается в стране, и всем управлять самолично.

Царь был весьма деятелен. Особенно хорошо это было известно жителям столицы. Петербуржцам ежедневно приходилось и наблюдать деятельность императора, и быть ее объектом.

Подымаясь чуть свет, царь до полудня обыкновенно читал и подписывал бумаги, принимал с докладами министров. «В первом часу дня, – сообщает мемуарист, – невзирая ни на какую погоду, государь отправлялся, если не было назначено военного учения, смотра или парада, в визитацию, или вернее инспектирование учебных заведений, казарм, присутственных мест и других казенных учреждений. Чаще всего он посещал кадетские корпуса и женские институты . . . В таких заведениях он входил обыкновенно во все подробности управления и почти никогда не покидал их без замечания, что одно следует изменить, а другое вовсе уничтожить».

О характере инспектирования императором учебных заведений, о характере его замечаний некоторое представление дает, например, такой отрывок из дневника профессора А. В. Никитенко: «. . . Сегодня Николай Павлович посетил нашу первую гимназию и выразил неудовольствие. Вот причины. Дети учились. Он вошел в пятый класс, где преподавал историю учитель Турчанинов. Во время урока один из воспитанников, впрочем, лучший и по поведению, и по успехам, с вниманием слушал учителя, но только облокотясь. В этом увидели нарушение дисциплины . . . Повелено попечителю отставить от должности учителя Турчанинова . . . После сего государь вошел в класс к священнику – и здесь та же история. Все дети были в полном порядке, но, к несчастью, один мальчик опять сидел, прислонясь спиной к заднему столу. Священнику был сделан выговор, на который он, однако, отвечал с подобающим почтением: «Государь, я обращаю внимание более на то, как они слушают мои наставления, нежели на то, как они сидят».

Более всего следил император за соблюдением внешних форм, внешнего порядка. Внешний вид столицы постоянно был предметом его внимания. Достаточно сказать, что ни одно здание в центре города – не только казенное, но и частное – не сооружалось без одобрения императора. Он просматривал архитектурные проекты, давал указания. Когда однажды кто-то из архитекторов рядом с чертежом дома изобразил масштабную фигуру – человека в цилиндре, цветном фраке и жилете, – царь зачеркнул фигуру и написал рядом: «Это что за республиканец!» После чего по Корпусу путей сообщения был издан приказ, в коем предлагалось изображать масштабные фигуры только в виде солдат в шинелях и фуражках.

По словам одного из тогдашних сановников, царь «в отношении к внешнему порядку столицы входил сам во все и при бодрственной внимательности своей представлял своим лицом истинного высшего начальника петербургской столицы». Дело доходило до того, что император брал на себя обязанности обер-полицмейстера или даже бранд-майора, лично проводя смотр столичной пожарной команды. Зимой 1834 года газета «Северная пчела» сообщала, например, что «государь император изволил сделать внезапную тревогу пожарным командам всех 13 частей Петербурга». На пожарных каланчах были подняты сигнальные шары, обозначавшие, что горит в 1-й Адмиралтейской части. На Сенатской площади стоял с часами в руках император Николай Павлович, высчитывая, сколько минут понадобилось команде каждой части, чтобы добраться к месту сбора. Царь остался доволен расторопностью своих пожарных. «Его величество, пройдя мимо выстроенных пожарных команд всех частей, изволил благодарить нижние чины за примерно скорое прибытие на сборное место и пожаловал по одному рублю, по фунту говядины и по чарке вина на человека».

Неуемная деятельность царя не приносила, однако, желаемых результатов. Боль-

Рисунок на черновой рукописи повести «Гробовщик»

шинство преступлений и злоупотреблений, творившихся под носом у императора во многих «казенных учреждениях», оставались безнаказанными. Лишь иногда, случайно, обнаруживалось истинное положение дел, и тогда, по выражению одного из столпов николаевской администрации, барона М. А. Корфа, царь видел себя перед «зияющей бездной всевозможных мерзостей, бездною, открывшеюся не сегодня, не вчера, а образовавшеюся постепенно, через многие годы, неведомо ему, перед самым его дворцом». Так случилось, например, когда вновь вступивший в должность петербургский гражданский губернатор обнаружил в столичном надворном суде более тысячи нерешенных дел, несколько тысяч неисполненных решений и указов, обнаружил более полумиллиона рублей, числившихся как сумма «неизвестных лиц», потому, что из-за многолетнего беспорядка невозможно было определить, кому из просителей принадлежат эти деньги.

Катастрофическая неудача государственной деятельности Николая I отнюдь не была случайностью. Исполненный жажды преобразовывать и исправлять, Николай занимался лишь преобразованием частностей и исправлением мелочей, не допуская и мысли о каком-либо изменении государственного порядка в целом. Тогда как к этому времени в русской жизни давно уже назрела необходимость именно в коренных, всеобъемлющих переменах. Характерно, что изыскивая всюду мелкие недостатки, царь не любил узнавать о крупных злоупотреблениях и вопиющих безобразиях. В 1831 году, когда во время эпидемии холеры в Петербурге произошли серьезные беспорядки, министр Закревский доложил царю, что более всего в «холерных бунтах» повинна петербургская полиция: полицейские тащили в холерные бараки и больных, и здоровых (разумеется, из простонародья), оставляя в покое лишь тех, кто мог откупиться. И Николай, несколько лет спокойно терпевший на посту министра внутренних дел «невежду», услыхав от него столь неприглядную истину, страшно разгневался и . . . уволил Закревского в отставку.

Мелочность была отличительной чертой николаевского царствования. Она проявлялась во всем и особенно наглядно – в деятельности Третьего отделения. Как видно из соответствующих инструкций, рассылавшихся высшим жандармским чинам, Третье отделение должно было, по мысли царя, надежно охранять благополучие и достоинство жителей его империи. На деле, однако, роль этого учреждения свелась к установлению над всеми подданными Николая I мелочной, назойливой, унизительной опеки.

Едва ли не ярче всего роль Третьего отделения в тогдашней русской и, в частности, петербургской жизни вырисовывается на примере его отношений с Пушкиным. Чтобы представить себе существо этих отношений, не обязательно изучать «дело» о распространении запрещенного цензурой отрывка из стихотворения «Андрей Шенье» с заголовком «На 14 декабря» (по этому «делу» Пушкин находился под следствием более двух лет) или «дело» о кощунственной поэме «Гавриилиада». Довольно перелистать страницы сохранившейся переписки между Бенкендорфом и Пушкиным. Переписка эта велась из месяца в месяц, из года в год. И чуть ли не в каждом письме Бенкендорфа к поэту – выговор. Всегда неумный, мелочный, а часто и бестолковый.

Началось это уже вскоре после того, как царь препоручил Пушкина заботам Бенкендорфа.

То шеф жандармов выговаривал поэту, что он не сам представил ему на просмотр несколько своих стихотворений, а доверил это сделать Дельвигу. Пушкину пришлось объяснять, что он потому «избрал посредника в сношениях» с Бенкендорфом, «основанных на высочайшей воле», что стихи эти он давно уже передал Дельвигу для опубликования в альманахе и быстрое их рассмотрение Бенкендорфом было важно для издателя.

То Бенкендорф посылал Пушкину грозный запрос – почему он «отправился в Закавказские страны, не предуведомив» об этом его, Бенкендорфа. Пушкин в оправдание пишет, что поехал в Тифлис навестить брата, а оттуда в Арзрум – с разрешения главнокомандующего генерала Паскевича.

То поэт получал не менее строгий нагоняй за то, что он «внезапно рассудил уехать в

Москву». Тут начальник Третьего отделения недвусмысленно грозит Пушкину «неприятностями» за непослушание. Пушкин отвечает, что, получив еще в 1826 году дозволение жить в Москве, а в 1827 году – в Петербурге, он с тех пор ежегодно зимою ездит в Москву, не испрашивая особого разрешения и ни разу не получив за то замечания. Кроме того, напоминает Пушкин, встретив генерала в начале зимы на гулянье, он сказал, что собирается в Белокаменную. Разумеется, Бенкендорф, – он славился своей рассеянностью – об этом разговоре успел позабыть. И тем не менее на письме Пушкина начертал: «Я его прошу меня вперед уведомлять».

То Бенкендорф, по поручению царя, выговаривал Пушкину за то, что на балу у французского посланника он был одет не так, как следовало: все были в мундирах, а Пушкин – во фраке. Генерал настоятельно рекомендовал поэту завести, по крайней мере, дворянский мундир.

Выговоры за самовольные отлучки, выговоры за несоблюдение субординации, выговоры за неношение мундира . . . Генерал обращался с Пушкиным, как с неисправным поручиком. Разумеется, тон тут задавал не Бенкендорф, а сам царь.

В пушкинском «Дневнике» за 1834 год есть такая характеристика Николая I, принадлежащая, несомненно, самому Пушкину: «Кто-то сказал о государе: – Il'y a beaucoup de praporchique en lui, et un peu du Pierre le Grand», то есть «В нем много от прапорщика и немного от Петра Великого». В 1830-х годах городом Петра Великого правил прапорщик. И в великом городе царил дух казармы.

❀❀❀

Владимирская улица не принадлежала к числу лучших аристократических улиц столицы. Это была Московская часть, заселенная в основном ремесленным и торговым людом, мещанством. Были здесь все не проспекты, не улицы, а улочки да переулочки, и назывались они не Морскими, не Миллионными, а Грязны́ми, Кузнечными, Свечными, Ямскими. Но и здесь нередко попадались каменные дома, некоторые в два и три этажа, квартиры в них бывали удобные и не столь дорогие, как в центре. Эта относительная дешевизна квартир привлекала сюда и дворян среднего достатка. В конце 1820-х годов в Свечном переулке некоторое время жили родители Пушкина – Сергей Львович и Надежда Осиповна, а поблизости от них, в Большом Казачьем переулке, поселилась с мужем сестра поэта Ольга Сергеевна.

Среди небогатых строений Московской части ничем не выделялся дом купца Аники Тычинкина, стоявший на Владимирской улице, против церкви Владимирской богоматери. Церковь была нарядная, возведенная в середине XVIII века. Дом Аники Тычинкина был простой, неброской, хотя и искусной архитектуры.

Не было, пожалуй, петербуржца, хоть как-то причастного к литературе, который не знал бы скромного дома купца Тычинкина. Дело в том, что в этом доме с осени 1829 года жил барон Антон Антонович Дельвиг.

Дельвиг был одним из примечательнейших людей своего времени.

Талантливый поэт, он приобрел литературную известность своими лирическими стихами. Его критические статьи и рецензии, отмеченные глубиной и меткостью суждений, вызывали оживленные толки среди литераторов и в публике. Человек яркого ума, неистощимого остроумия и на редкость доброго, открытого нрава, Дельвиг пользовался любовью и уважением таких своих современников, как Жуковский, Вяземский, Баратынский, Веневитинов. А Пушкин говорил: «. . . Никто на свете не был мне ближе Дельвига . . . Я знал его в Лицее – был свидетелем первого, незамеченного развития его поэтической души и таланта, которому еще не отдали мы должной справедливости. С ним читал я Державина и Жуковского – с ним толковал обо всем, что душу волнует, что сердце томит . . .»

В литературном мире Петербурга Дельвиг был знаменит как увлекательный собеседник, неподражаемый рассказчик и к тому же гостеприимный хозяин. По словам современницы, он «соединял в себе все качества, из которых слагается симпатичная личность. Любезный, радушный хозяин, он умел счастливить всех имевших к нему доступ».

А. А. Дельвиг

Поэт тем охотнее собирал у себя друзей, что сам был домоседом. Вообще он слыл увальнем, ленивцем. Но тем не менее успевал делать совсем немало. Помимо того, что служил чиновником в различных департаментах, а потом помощником библиотекаря в Публичной библиотеке, Дельвиг принимал участие во многих литературных обществах и собраниях, издавал с 1825 года альманах «Северные цветы», а с 1829 года «Литературную газету». И, конечно, писал . . .

По вечерам в квартире Дельвига собирались его лицейские товарищи – из них особенно часто бывали А. Илличевский и М. Яковлев (последний даже в шутку называл себя «приказчиком Владимирской волости»), лицеисты второго выпуска князь Д. Эристов и художник В. Лангер (автор известного портрета Дельвига), приходили двоюродный брат хозяина Андрей Дельвиг, Лев Пушкин, Алексей Вульф, А. П. Керн . . . Под аккомпанемент жены Дельвига, Софьи Михайловны, Яковлев, Эристов и сам Дельвиг распевали романсы и песни. Первые двое сверх того умели ловко показывать фокусы, представляли чревовещателей и каждый раз придумывали что-нибудь забавное. Иногда все хором выводили какой-нибудь модный романс или баркаролу. После того как однажды щенок, пробравшись в кабинет хозяина, изорвал «Песни Беранже», в репертуар был включен сочиненный по поэтому поводу Дельвигом куплет:

Хвостова кипа тут лежала,
А Беранже не уцелел!
За то его собака съела,
Что в песнях он собаку съел!

Ни один вечер не обходился без рассказов хозяина. Случайному наблюдению, невзначай увиденной уличной сценке он умел придать вид короткой новеллы, забавной и выразительной. Так, однажды он насмешил гостей рассказом о «чиновничьей чете», которую наблюдал из окна своего кабинета, обращенного на Владимирскую: «Каждый день после обеда они чиннехонько выйдут на улицу, муж ведет сожительницу за ручку, и пойдут гулять; вечером возвратятся пьяные, подерутся, выйдут на улицу, кричат караул и будошник придет разнимать их. На другой день та же супружеская прогулка, к вечеру то же возвращение и та же официальная развязка».

Славился Дельвиг своими литературными пародиями.

До рассвета поднявшись, извозчика взял
    Александр Ефимыч с Песков
И без отдыха гнал от Песков чрез канал
    В желтый дом, где живет Бирюков;
Не с Цертелевым он совокупно спешил
    На журнальную битву вдвоем,
Не с романтиками переведаться мнил
    За баллады, сонеты путем.
Но во фраке был он, был тот фрак запылен,
    Какой цветом – нельзя разпознать;
Оттопырен карман: в нем торчит, как чурбан,
    Двадцатифунтовая тетрадь.
Вот к обеду домой возвращается он
    В трехэтажный Моденова дом.
Его конь опенен, его Ванька хмелен,
    И согласно хмелен с седоком . . .

Так пародировал Дельвиг балладу Жуковского «Смальгольмский барон». Герои пародии были хорошо знакомы слушателям: Александр Ефимович Измайлов – баснописец и издатель журнала «Благонамеренный», его активный сотрудник князь Цертелев, цензор Бирюков . . . Знакомы были и точно указанные петербургские адреса: Пески – район Рождественских улиц, Лиговский канал, где в трехэтажном доме Моденова жил Измайлов.

Эту пародию по просьбе друзей Дельвигу пришлось читать не раз. Читал он очень выразительно, сохраняя строгую серьезность на своем полном, добродушном лице. У Дельвигов умели веселиться умно.

А. Мицкевич

Но замечательна была уютная гостиная в доме на Владимирской теми вечерами – обыкновенно по средам и воскресеньям, – когда здесь собирался цвет тогдашней русской литературы. Здесь можно было слышать, как читали свои новые стихи Пушкин, Жуковский, Вяземский, Гнедич, как читал свои новые басни Крылов.

Здесь можно было слышать, как Адам Мицкевич импровизировал сказки «в духе Гофмана». Польский поэт, высланный из Вильны в центральную Россию, в конце 1827 года приехал в Петербург и стал частым гостем в доме Дельвига.

В это же время начал посещать его дом и молодой, но уже известный в столице композитор и пианист Михаил Глинка. «Летом того же 1828 года, – говорит Глинка, – Михаил Лукьянович Яковлев, композитор известных русских романсов и хорошо певший баритоном, познакомил меня с бароном Дельвигом, известным нашим поэтом. Я нередко навещал его . . . Барон Дельвиг переделал для моей музыки песню: «Ах ты, ночь ли ноченька». . .»

По свидетельству А. П. Керн, импровизации Глинки завораживали слушателей. «. . . Такой мягкости и плавности, такой страсти в звуках и совершенного отсутствия деревянных клавишей я никогда ни у кого не встречала! – пишет она. – У Глинки клавиши пели от прикосновения его маленькой ручки. Он так искусно владел инструментом, что до точности мог выразить все, что хотел . . .»

А. П. Керн описала встречу Дельвига с приехавшим к нему Пушкиным – в это время, бывая в Петербурге, Пушкин много времени проводил у Дельвига. Поэт, рассказывает Керн: «. . . быстро пробежал через двор и бросился в его объятия; они целовали друг у друга руки и, казалось, не могли наглядеться один на другого. Они всегда так встречались и прощались: была обаятельная прелесть в их встречах и расставаниях».

Отношения между Дельвигом и Пушкиным были поистине братскими. В эти годы, когда Пушкин не имел своего угла, жил «на больших дорогах», у Дельвига он чувствовал себя дома. Здесь его любили и понимали. Посреди Петербурга, пропитанного ненавистным «духом неволи», маленькая квартирка в доме купца Тычинкина на Владимирской была истинным «приютом муз», приютом свободной мысли.

Выражение независимых мнений, «откровенные и беспристрастные суждения о произведениях словесности русской» были целью «Литературной газеты», издание которой Дельвиг предпринял в конце 1829 года. Инициатором еженедельника и, наряду с Дельвигом, его руководителем являлся Пушкин. Квартира Дельвигов была не только литературным салоном, но и конторой редакции, где составляли очередные номера газеты и альманаха «Северные цветы», отбирали и правили рукописи, читали корректуры. Здесь же размещался книжный склад, куда типографщики присылали тиражи, посыльные из книжных лавок являлись, чтобы доставить их хозяевам.

В городе, где самым популярным изданием была булгаринская «Северная пчела» с ее печатными доносами, с ее умилением по поводу удачного царского смотра пожарной команды, Пушкин и Дельвиг задумали издавать газету, призванную поддержать честь и достоинство русской литературы. Не столько содержание ее статей – часто литературных, – сколько самый их тон, независимый и благородный, вызывал раздражение в Третьем отделении. «Литературную газету» там считали крамольным изданием, тогда как квартира Дельвига представлялась жандармам гнездом вольнодумства.

«Северные цветы» Дельвиг издавал шесть лет. «Литературную газету» – менее года.

В шестьдесят первом номере, вышедшем 28 октября 1830 года, был напечатан перевод четверостишия французского поэта К. Делавиня – эпитафии погибшим героям июльской революции. Несколькими днями позже Дельвига вызвали в Третье отделение. Вероятно, дело не обошлось без доноса: Булгарин видел в Дельвиге своего опасного конкурента и врага.

Граф Бенкендорф в весьма грубых выражениях высказал свое недовольство опубликованием стихов Делавиня и направлением «Литературной газеты» вообще.

«Что, ты опять печатаешь недозволенное? . . Я упрячу тебя с твоими друзьями в Сибирь!» – кричал шеф жандармов.

Продолжать издание газеты Дельвигу было запрещено.

Вскоре поэт тяжело заболел. 14 января 1831 года он скончался.

Похороны были скромные. Могила в Александро-Невской лавре стоила слишком дорого. Хоронили на Волковом.

Внезапная смерть Дельвига поразила его друзей. И более всех Пушкина. Поэт был в это время в Москве. Тогда-то он и писал П. А. Плетневу: «. . . никто на свете не был мне ближе Дельвига. Изо всех связей детства он один оставался на виду – около него собиралась наша бедная кучка. Без него мы точно осиротели». И несколькими днями позже: «Напишем же жизнь нашего друга, богатую не романтическими приключениями, но прекрасными чувствами, светлым чистым разумом и надеждами».

Сделать это друзья Дельвига не сумели. Но накануне нового, 1832 года в книжных лавках столицы появилась последняя книжка «Северных цветов», изданная в пользу семьи покойного Дельвига Пушкиным.

❀❀❀

По вечерам на петербургских улицах появлялась характерная фигура человека с лестницей на плече – фонарщика.

«Грязные фонарщики, – говорит современник, – кучами сидят на перекрестках некоторых улиц, пристально глядя в одну сторону; когда появится там, над домами Большой Морской, как метеор, красный шар, они, взвалив на плечи свои лесенки, отправятся зажигать фонари. Вы каждого из этих людей примете в темноте за какое-то странное привидение, когда, приставив лестницу к столбу, он закроет от ветра себя и фонарь длинною полупрозрачною рогожей».

В темные зимние вечера около четырех тысяч фонарей – масляных и газовых – разгоняли мрак лишь на центральных улицах столицы. В центре же допоздна светились окна магазинов и кофеен, «которых освещение, – по словам фельетониста «Северной пчелы», – представляло в темные вечера прелестнейшую иллюминацию». Разумеется, сверкали огнями и дворцы, особняки, где давали балы.

Окраины в это время уже спали.

Длинные зимние вечера были в Петербурге временем дружеских сходок, приятельских ужинов, литературных собраний . . .

Всякого рода сходки, а литературные собрания в особенности, весьма интересовали Третье отделение собственной его императорского величества канцелярии.

Осенью 1827 года управляющий делами Третьего отделения М. Я. Фон-Фок даже составил для своего шефа А. Х. Бенкендорфа записку «О начале собраний литературных». Вступление к ней было такое: «После несчастного происшествия 14 декабря, в котором замешаны были некоторые люди, занимавшиеся словесностью, петербургские литераторы не только перестали собираться в дружеские круги, как то было прежде, но и не стали ходить в привилегированные литературные общества, уничтожившиеся без всякого повеления правительства. Нелепое мнение, что государь император не любит просвещения, было общим между литераторами, которые при сем жаловались на цензурный устав и на исключение литературных обществ из Адрес-Календаря, по повелению министра просвещения. Литераторы даже избегали быть вместе, и только встречаясь мимоходом, изъявляли сожаление об упадке словесности...»

Фон-Фок уведомлял шефа жандармов, что теперь литературные собрания в столице как будто возобновляются: такой вывод он сделал на основании данных, полученных от своих осведомителей. А среди них были люди, имевшие к литературе прямое отношение: драматург Висковатов, романист Бошняк, журналист Владиславлев и, конечно, Фаддей Булгарин. Свою записку Фон-Фок заканчивал многозначительной фразой: «Если литераторы станут собираться, то на сие будет обращено особенное внимание...»

Литераторы действительно начали собираться. Внимание было обращено. Однако Третье отделение оказалось в затруднительном положении: легко было подслушивать разговоры на толкучих рынках, в трактирах или в кондитерских, но в литературные собрания полицейских агентов обычно не приглашали. Если же кто-нибудь из них и проникал в заветную гостиную или кабинет, то и тогда ему редко удавалось чем-либо порадовать жандармское начальство. О политике теперь говорили мало. Зато страстно обсуждали вопросы отвлеченные: философские, исторические, литературные. В то время, когда общественная жизнь замерла, с небывалой дотоле интенсивностью жили жизнью умственной. Еще более, чем в предшествующее десятилетие, средоточием умственных и нравственных сил Петербурга были литературные собрания.

Существовали многие из прежних литературных салонов, возникали новые. Литературные кружки, вечера, чтения, литературные обеды и ужины сделались характерным явлением эпохи.

Литераторы пушкинского круга после смерти Дельвига и закрытия «Литературной газеты» постоянно собирались у П. А. Плетнева, В. А. Жуковского и В. Ф. Одоевского.

Петр Александрович Плетнев – поэт, критик, учитель истории и словесности в различных учебных заведениях столицы, а с 1832 года профессор Петербургского университета, в потомстве прославлен более всего тем, что ему посвятил Пушкин «Евгения Онегина»:

> Не мысля гордый свет забавить,
> Вниманье дружбы возлюбя,
> Хотел бы я тебе представить
> Залог достойнее тебя,
> Достойнее души прекрасной,
> Святой исполненной мечты,
> Поэзии живой и ясной,
> Высоких дум и простоты...

На протяжении многих лет Пушкина связывала с Плетневым тесная дружба. Плетнев был его поверенным в издательских денежных и самых различных житейских делах. «Я имел счастье, – писал Плетнев, – в течение двадцати лет пользоваться дружбою нашего знаменитого поэта. Не выезжавший в это время ни разу из Петербурга, я был для него всем: и родственником, и другом, и издателем, и кассиром».

Собирались у Плетнева, как у Дельвига, – по средам и воскресеньям. Гостей бывало немного, все больше люди, дружески связанные между собой.

Жуковский, Крылов, Одоевский, Гоголь являлись здесь постоянно. Пушкин приезжал один и с женою.

Атмосфера искреннего доброжелательства и горячей заинтересованности в судьбах отечественного просвещения царила в небольшой уютной гостиной.

И. С. Тургенев, тогда студент Петербургского университета, попавший сюда по приглашению хозяина – своего профессора, впоследствии рассказал о виденном в очерке «Литературный вечер у П. А. Плетнева». В этот вечер ему довелось впервые встретить

Автопортрет. 1827

Пушкина. «Войдя в переднюю квартиры Петра Александровича, я столкнулся с человеком среднего роста, который, уже надев шинель и шляпу и прощаясь с хозяином, звучным голосом воскликнул: «Да! да! хороши наши министры! нечего сказать!» – засмеялся и вышел. Я успел только разглядеть его белые зубы и живые, быстрые глаза. Каково же было мое горе, когда я узнал потом, что этот человек был Пушкин, с которым мне до тех пор не удавалось встретиться: и как я досадовал на свою мешкотность! . .»

Собрания у Василия Андреевича Жуковского, начавшиеся в 1818 году по субботам в доме купца Брагина на Крюковом канале, продолжались в 1830-е годы по пятницам в Шепелевском доме на Миллионной. Богатый четырехэтажный дом этот, занимавший участок, соседний с Зимним дворцом и Эрмитажем, когда-то принадлежал камергеру Шепелеву. Потом он был приобретен императрицей Елизаветой и стал дворцовым флигелем. Жуковскому, как наставнику наследника, была предоставлена здесь, в верхнем этаже, казенная квартира.

Как и у Плетнева, как прежде у Дельвига, душой и центром литературных вечеров у Жуковского был Пушкин. Вполне оценив гений Пушкина еще в 1820 году, Жуковский до последнего часа жизни поэта оставался его преданным другом, советчиком, заступником, который приходил на помощь всякий раз, когда это было нужно.

Можно смело сказать, что русское искусство обязано Жуковскому не только великолепными переводами шедевров мировой поэзии и талантливыми оригинальными произведениями, но и той дружеской помощью, которую он щедро оказывал Пушкину, Гоголю, Глинке, Кольцову, Шевченко . . .

В одном из позднейших писем Гоголя к Жуковскому есть такие слова: «. . . я, едва вступивший в свет юноша, пришел в первый раз к тебе, уже совершившему полдороги на этом поприще. Это было в Шепелевском дворце. Комнаты этой уже нет. Но я ее вижу как теперь, всю, до малейшей мебели и вещицы. Ты подал мне руку и так исполнился желанием помочь будущему сподвижнику!»

Часы проходили в оживленных беседах, «замечательных по простоте и сердечности». Впервые звучали поэтические произведения, становившиеся вскоре классическими. Иногда вместо чтения пели, играли на фортепьяно.

«Раевский будет у меня нынче ввечеру. Будь и ты, привези брата Льва и стихи или хоть прозу . . . Порастреплем Пугачева. Собрание открывается в 9 часов», – так говорилось в одной из записок Жуковского Пушкину.

В. А. Соллогуб, вспоминая, как впервые слышал «Женитьбу» Гоголя в чтении самого автора, писал: «. . . он читал ее однажды у Жуковского в одну из тех пятниц, где собиралось общество (тогда немалочисленное) русских литературных, ученых и артистических знаменитостей».

Об этом чтении вспоминал и М. И. Глинка. Он вспоминал и о том, как на одной из пятниц Жуковский «искренне одобрил» его «желание приняться за русскую оперу» и предложил сюжет Ивана Сусанина. А в другой раз дал ему текст «Ночного смотра», на который в тот же день композитор написал музыку.

В середине 30-х годов несколько молодых художников – учеников А. Г. Венецианова (А. Н. Мокрицкий, Г. К. Михайлов и другие) – запечатлели на большом полотне тот вечер в просторном кабинете Жуковского в Шепелевском доме, когда Пушкин, Крылов, Гоголь, Плетнев и другие гости принимали воронежского поэта прасола А. В. Кольцова. Венецианов поручил эту работу своим ученикам по просьбе Жуковского.

Знаменит был в Петербурге 1830-х годов и другой кабинет, где еженедельно происходили литературные собрания – кабинет князя В. Ф. Одоевского, во флигеле скромного особнячка М. В. Ланской в Машковом переулке, между Дворцовой набережной и Миллионной улицей.

Владимир Федорович Одоевский был человеком универсальных интересов: беллетрист, критик, журналист, ученый-естествоиспытатель, музыкант, он принадлежал по

Н.В. Гоголь

рождению и общественному положению к столичной аристократии, но в то же время был известен своими демократическими вкусами и симпатиями. Ему, по словам современника, было «все равно, кто какой кличкой бы ни назывался и в каком бы платье ни ходил».

Широко известны были и некоторые чудачества князя. Всякого попадавшего в его кабинет – так называемую «львиную пещеру» – поражало не только обилие книг, лежавших повсюду – на полках, этажерках, креслах, но и необычные готические формы самих этих полок, этажерок, кресел, выглядывавшие из всех углов скелеты, реторты, всевозможные приборы для химических опытов. Удивительным был и костюм хозяина: длинный черный сюртук, черный шелковый колпак на голове – нечто вроде наряда средневекового астролога. Картину довершал огромный черный кот, следовавший за хозяином по пятам.

Как писал В. А. Соллогуб, «в этом безмятежном святилище знания, мысли, согласия, радушия сходился по субботам весь цвет петербургского населения». Кроме Пушкина и писателей его круга – Жуковского, Вяземского, Крылова, Плетнева, Гоголя, бывших в дружеских отношениях с Одоевским, здесь можно было встретить и литераторов, только что начинающих свою творческую жизнь. В конце 1830-х годов гостями Одоевского бывали Лермонтов, Белинский, Тургенев, Кольцов. На равных правах с литераторами здесь являлись музыканты, художники, актеры и люди, не имевшие прямого отношения к искусству, – университетские профессора, дипломаты, сановники. Этой пестротой заполнявших «львиную пещеру» гостей отличались собрания у Одоевского от собраний у Жуковского и Плетнева.

В меньшей степени литературными, значительно более великосветскими были другие салоны, в которых нередко являлись Пушкин и его друзья. Салон австрийского посла графа Фикельмона, где гостей любезно встречали жена посла Дарья Федоровна и ее мать Елизавета Михайловна Хитрово, дочь Кутузова; здесь интересы литературные отступали на задний план перед политическими. Салон графа М. Ю. Виельгорского: на вечерах в его обширной квартире на Михайловской площади первое место принадлежало не литераторам, а музыкантам – граф был сам музыкант и страстный любитель музыки, среди его гостей можно было встретить многих знаменитостей России и Европы. Салон Е. А. Карамзиной (в 1830-е годы она жила также на Михайловской площади); из блестящих салонов петербургского света он был самым литературным.

И. С. Лаваль

Екатерина Андреевна после смерти мужа (он скончался в 1826 году) старалась сохранить ту атмосферу семейного уюта, непринужденной беседы за чайным столом и вместе широты умственных, особенно литературных интересов, которая всегда отличала карамзинские вечера. Квартиру Карамзиных на Михайловской площади, как прежде на Фонтанке в доме Муравьевой, постоянно посещал узкий круг людей избранных, и среди них – П. А. Вяземский (он приходился сводным братом Екатерине Андреевне), А. И. Тургенев, В. А. Жуковский, В. Ф. Одоевский, А. С. Хомяков, Д. В. Дашков, Д. Н. Блудов. Пушкин бывал здесь часто и охотно, чувствуя понимание и искреннее расположение и со стороны Екатерины Андреевны, которую до конца жизни считал одним из самых близких друзей, и Софии Николаевны – дочери Карамзина от первого брака. «. . . В карамзинской гостиной, – писал современник, – предметом разговоров были не философские предметы, но и не петербургские пустые сплетни и россказни. Литературы, русская и иностранные, важные события у нас и в Европе . . . составляли всего чаще содержание наших оживленных бесед. Эти вечера, продолжавшиеся до поздних часов ночи, освежали и питали наши души и умы, что в тогдашней петербургской душной атмосфере было для нас особенно полезно».

В октябре 1837 года Е. А. Карамзина писала сыну: «Вчера или позавчера мы много говорили о «Современнике».

Журнал, который с 1836 года стал издавать Пушкин, привлекал к себе всеобщее внимание. Несомненно, он был главным предметом разговоров и на собраниях у Жуковского, Одоевского, Плетнева.

В 1830-х годах, когда круг литераторов и читательская аудитория значительно расширились, на смену прежним формам литературной жизни приходят новые. В это время именно журнал становится в России главным орудием литературной и общественной борьбы. Собрания литераторов пушкинского круга были в то же время собраниями сотрудников «Современника». Пушкину-издателю активно помогали и помещали в журнале свои произведения Плетнев, Одоевский, Вяземский, Жуковский, А. Тургенев, Гоголь . . .

«Современник» продолжил традиции запрещенной «Литературной газеты». Само появление пушкинского журнала доказывало, что, вопреки стараниям николаевских жандармов, великая русская литература жила и развивалась.

❀❀❀

Петербург был основан как крепость и порт. Через петербургский порт шел обмен товарами. Через него шло европейское просвещение.

> Сюда по новым им волнам
> Все флаги в гости будут к нам . . .

К 1830-м годам в Петербурге жило более 25 000 немцев, около 4000 французов, 2000 шведов, около 1000 англичан, 4000 финнов, около 1000 грузин и татар, жили здесь персы, бухарцы, индусы (некий индусский факир жил одно время в доме А. Н. Оленина, который подобрал его зимой на улице почти замерзшим). Пестрота петербургского населения объяснялась именно тем, что в России Петербург был представителем Европы, а в Европе – представителем огромной, раскинувшейся в трех частях света и столь разноплеменной державы. Здесь сошлись два мира. Непосредственным выражением этого соединения и было то, что сюда ежегодно приезжали и приплывали тысячи людей из-за границы, приезжали и приходили десятки тысяч людей из провинции.

Среди множества столичных зданий едва ли не самыми петербургскими, самыми характерными были гостиницы, всевозможные «заездные дома» и трактиры.

Первые гостиницы, постоялые дворы, трактиры появились в Петербурге еще при Петре I, в 1720-х годах. С середины XVIII века специальные законоположения определяли порядок содержания этих заведений, открываемых «ради приезжающих из иностранных государств иноземцев и всякого звания персон, и шкиперов, и матросов, также и для довольства Российского всякого звания людей, кроме подлых и солдатства». Содержателями были люди «воздержанные и с поведением», главным образом иностранные подданые, почему постоялые дворы, трактиры часто именовались «гербергами» и носили громкие названия по странам и городам, откуда происходили владельцы: «Шведский трактир», «Лондон», «Париж», «Любек» . . .

В конце XVIII века в столице было уже довольно много разного рода «пристанищ для приезжающих», расположенных как в центральных, так и в окраинных частях города и готовых принять любого путешественника, будь он чужестранный дипломат, помещик из дальней провинции или торговый человек. В «Описании российско-императорского столичного города Санкт-Петербурга» И. Г. Георги говорилось: «Кроме больших постоялых дворов в Адмиралтейских и других частях города, известных под именами Лондона, Парижа, так называемого Королевского, Виртембергского, Демутова и других, в коих знатные особы, купцы и пр. одну или несколько комнат, стол, наемных слуг, екипажи и пр. с удобностию получить могут, есть также множество малых трактиров, содержимых мещанами и купцами третьей гильдии . . .»

«Новейший путеводитель по Санкт-Петербургу», изданный Ф. Шредером в 1820 году, сообщал: «Места, где путешествующий может остановиться, суть Hôtel de Londres, на Дворцовой площади, против Бульвара; у Демута на Мойке, между Конюшенным и Полицейским мостами; также в так называемом Ревельском трактире, в Новом переулке, и в Калмыковом доме у Каменного моста».

Путеводители по городу начала XIX века не сообщали о тех многочисленных в Петербурге «гостиницах», где постояльцам сдавали не номера, не комнаты, но углы комнат. В «угловых домах», как называли в столице такого рода пристанища, жили, по преимуществу, мастеровые, являвшиеся в столицу на заработки, попадали сюда лакеи, лишившиеся места, разносчики с Сенной, отставные солдаты . . . Жили здесь, по словам автора первого «Медико-топографического описания Санкт-Петербурга», изданного в 1820 году, «в настоящей свалке». Случалось, что в комнате, имевшей «в окружности едва 12 футов», жило восемь–десять человек. Небольшие «угловые дома» подчас вмещали одновременно до тысячи постояльцев. Некоторые из них жили здесь месяцами, другие снимали угол на одну ночь. Угловой жилец платил в месяц от двух до пяти рублей ассигнациями. Плата за ночь составляла семь–десять копеек. . . .

Именно в гостиницах, на малом пространстве нескольких комнат, наиболее отчетливо была видна чрезвычайно сложная структура столичного населения. «Угловые дома» являли во всем разнообразии типы простонародья – от профессиональных нищих (их в Петербурге считали тысячами) до мелких торговцев с толкучего рынка. В гостиницах для «чистой публики» можно было встретить господ всех родов – от иностранцев-ремесленников до генералов, сановников, иноземных послов.

Самой известной в Петербурге и вместе типично петербургской гостиницей была гостиница Демута, или Демутов трактир. Основанная в 1770 году неким Филиппом-Якобом Демутом, купцом из Страсбурга (а быть может, еще его отцом, приехавшим в Петербург в 1760-х годах), гостиница эта вскоре была единогласно признана одной из лучших в городе. Успехом своего дела Демут, несомненно, в немалой степени был обязан чрезвычайно удачному выбору места: на набережной Мойки, в нескольких шагах от Невского проспекта. Поначалу Демутов трактир был невелик – всего шесть номеров. Затем здание перестроили. Оно заняло обширную площадь от набережной Мойки до Конюшенной улицы, куда выходил другой его фасад; номеров в трактире стало более пятидесяти, и при том – на все вкусы и достатки. Были номера из одной и двух комнат, с окнами в темный грязный двор. Были номера, состоявшие из анфилады покоев, с окнами на Мойку и Конюшенную.

А. С. Грибоедов

В. П. Шереметева, остановившаяся здесь в октябре 1825 года, свои первые впечатления записала так: «Вот мы прибыли в Петербург . . . Я еще ничего не видела, кроме огромных домов, мимо которых проехали, и прибыли в гостиницу Демут. Она так полна, что мы едва нашли три небольшие комнаты в четвертом этаже; это меня нисколько не смутило, в случае наводнения мы довольно высоко . . . Лестницы, ведущие к нам, каменные; не согласились поместить нас менее, чем на неделю, и представьте – эта несчастная квартира по 65 руб. в неделю, кроме того 2 руб. за воду. Так как мы прибыли сюда без всякого хозяйства, то нельзя получить чашки, не беря порции чая или кофе, и все ужасно дорого; то же самое за обедом . . .»

Кто только не живал у Демута. Здесь можно было встретить М. М. Сперанского и А. П. Ермолова, П. И. Пестеля и П. Я. Чаадаева, А. И. Тургенева и К. А. Полевого, Н. О. и С. Л. Пушкиных. Здесь известный путешественник и коллекционер Алексей Салтыков, по прозвищу Индеец, занимал чуть не целый этаж редкостным собранием персидских ковров и восточного оружия. Выписанный в Россию Николаем I художник Козрое Дузи снял здесь себе мастерскую. А французский литератор Дюпре де Сент-Мора в зале гостиницы читал лекции о французском театре и французской литературе . . .

25 мая 1827 года в трактире Демута поселился приехавший в Петербург после ссылки Пушкин. Поэт занял «бедный нумер, состоявший из двух комнаток». В той части номеров, которые обращены были окнами во двор к северо-западу. На экземпляре «Цыган», подаренном А. П. Керн в начале 1826 года, поэт написал: «Ее превосходительству А. П. Керн от господина Пушкина, усердного ее почитателя. Трактир Демут № 10». Этот адрес значится и в документах неотступно следившей за поэтом полиции.

Летом 1827 года поэт заканчивал здесь шестую главу «Евгения Онегина», держал корректуру второй главы, печатавшейся в Москве, готовил для представления Николаю I поэму «Граф Нулин», «Отрывок из Фауста», «Песни о Стеньке Разине» и другие произведения.

В гостинице Демута осенью 1828 года была написана Пушкиным историческая поэма «Полтава». Со слов самого Пушкина современник рассказывал: «Это было в Петербурге. Погода стояла отвратительная. Он уселся дома, писал целый день. Стихи ему грезились даже во сне, так что он ночью вскакивал с постели и записывал их впотьмах . . . Таким образом слагались у него сотни стихов в сутки. Иногда мысли, не укладывавшиеся в стихи, записывались им прозой. Но затем следовала отделка, при которой из набросков не оставалось и четвертой части . . . Он кончил «Полтаву», помнится, в три недели».

В «заездном доме Демута» собирались у Пушкина друзья. П. А. Вяземский в мае 1828 года писал жене: «Третьего дня провели мы вечер и ночь у Пушкина с Жуковским, Крыловым, Хомяковым, Мицкевичем, Плетневым и Николаем Мухановым. Мицкевич импровизировал на французской прозе и поразил нас, разумеется, не складом фраз своих, но силою, богатством и поэзиею своих мыслей . . . Удивительное действие производит эта импровизация. Сам он был весь растревожен, и все мы слушали с трепетом и слезами».

В это же время, весной 1828 года, в Демутовом трактире поселился А. С. Грибоедов. Автор «Горя от ума» приехал в Петербург с текстом мирного трактата между Россией и Персией, заключенного в Туркманчае при деятельном его участии. Оба поэта много времени проводили вместе в откровенных дружеских беседах.

9 мая они в обществе Вяземского, Мицкевича и А. А. Олениной совершили прогулку на пароходе в Кронштадт, а неделю спустя в салоне графа Лаваля на Английской набереж-

ной Грибоедов и Мицкевич слушали, как Пушкин читал не дозволенного еще к печати «Бориса Годунова». Пушкин говорил о Грибоедове: «Это один из самых умных людей в России, любопытно послушать его».

В то же время жил у Демута и некто А. Д. Тырков – отставной штаб-ротмистр, новгородский помещик, а в прошлом – лицеист первого выпуска (лицейское прозвище Кирпичный Брус). В номере Тыркова 19 октября 1828 года праздновали семнадцатую лицейскую годовщину Дельвиг, Илличевский, Яковлев, Корф, Стевен, Комовский и Пушкин. Сохранился шуточный протокол этого празднования, написанный Пушкиным и заканчивающийся его стихами:

Усердно помолившись богу,
Лицею прокричав *ура*,
Прощайте, братцы: мне в дорогу,
А вам в постель уже пора.

Действительно, на следующий день, 20 октября, Пушкин покинул Демутов трактир и уехал из Петербурга в Тверскую губернию, а оттуда в Москву . . .

Снова жил Пушкин у Демута в 1830 году, а затем в 1831-м – несколько дней, – приехав в Петербург с молодой женой. С осени этого года Пушкин вновь становится петербуржцем – живет в столице уже постоянно.

❀❀❀

В ноябре 1836 года газета «Северная пчела» оповестила своих читателей: «При умеренной температуре в один градус и при благоприятной погоде собралось на дороге значительное число любопытных, хотя о произведении этих опытов не было объявлено публике . . . Так как и в нынешнем случае можно было ездить по железной дороге без платы, то пять экипажей в скором времени наполнились пассажирами; в некоторых было до пяти–десяти человек, кто сидел, кто стоял. При том трудно было удерживать зрителей, чтоб они не стояли на дороге или же не переходили через нее . . . Паровоз пущен был в ход гораздо медленнее обыкновенного, т. е. он пробегал версту в 2 1/2 или 3 минуты, что составляло бы в час от 24 до 20 верст. Не можем изобразить, как величественно сей грозный исполин, пыша пламенем, дымом и кипящими брызгами, двинулся вперед . . . Первая поездка сделана была от станции при Царском Селе до конца дороги в Павловском парке на пространстве четырех верст . . .»

Уже первый паровоз побежал по рельсам. Уже строили в Петербурге первый, поначалу деревянный, Царскосельский железнодорожный вокзал. Уже дымящие пассажирские пароходы – пироскафы, как их тогда называли, совершали регулярные рейсы между Петербургом и Кронштадтом. «Железный» девятнадцатый век вступил в Петербург.

Железными были дороги. Железными, вернее, чугунными были новые висячие (цепные) мосты, перекинутые через Мойку и Фонтанку. Они были предвестниками грядущего, когда везде

Мосты чугунные чрез воды
Шагнут широкою дугой . . .

Чугунными – для того времени смелое новшество – были перекрытия, примененные архитектором К. И. Росси при строительстве Главного штаба, а затем Александринского театра.

Девятнадцатый век начинался не только как железный, но и как электрический.

Осенью 1832 года изобретатель барон П. Л. Шиллинг у себя на квартире на Царицыном лугу демонстрировал петербургской публике работу сконструированного им электромагнитного телеграфа.

15 мая 1834 года профессор физики Б. С. Якоби показывал в Петербурге модель изобретенного им элекрического двигателя. Позже «Северная пчела» писала: «Квартира г. Якоби, на Васильевском острову, в доме Парланда № 30, на берегу Невы, между 16 и 17 линиями, – это точно жилище волшебства. Везде стоят машины и аппараты самого простого устройства, и по прикосновению его волшебного жезла вдруг все машины двигаются, мечут искры, плавят металлы! От прикосновения другим концом жезла . . . все мертвеет. Любопытно и поучительно!»

О сколько нам открытий чудных
Готовит просвещенья дух . . .

Достижения науки сулили немалые практические выгоды. Росла промышленность. В начале 1830-х годов в Петербурге насчитывалось около ста пятидесяти заводов и фабрик. Более всего рабочих было занято на кораблестроительных верфях (в Главном Адмиралтействе, в Новом Адмиралтействе, на Охтинской верфи и в Главном гребном порту). Здесь по штату числилось более 2500 человек, которых комплектовали рекрутами, да почти столько же рабочих набирали со стороны. Около трех тысяч рабочих были заняты на Александровской бумагопрядильной и ткацкой мануфактуре. Крупными предприятиями были казенные Чугунолитейный завод, Стекольный завод, Фарфоровый завод . . .

Из всех отраслей промышленности Петербурга едва ли не быстрей прочих развивалась полиграфия – отрасль, без которой был немыслим самый «просвещенья дух», невозможен существенный прогресс науки, невозможны чудеса техники. В 1820 году в Петербурге работало около тридцати типографий и литографий, в 1838 году их было уже семьдесят семь.

Быстро росло и количество книжных лавок.

Еще в начале XIX века лавки, торговавшие русскими книгами, как и скобяные, бакалейные, шорные, не отапливались и не освещались – во избежание пожаров. Зимой в таких лавках было холодно, как на улице, и купцы беспрестанно тянули горячий чай и сбитень, чтобы согреться. Нередко книгопродавцы не имели даже и лавок, хранили свой товар где-нибудь в подвале, а продавали просто на столах, поставленных на улице, – «как товар из ветошного ряда».

Однако уже в середине 1810-х годов в Петербурге появляются «теплые» книжные лавки. Это лавка Плавильщикова в доме Гаврилова у Синего моста, лавка Слёнина в доме Кусовникова на Невском, лавка Глазунова в доме Публичной библиотеки, лавка Лисенкова в доме Пажеского корпуса на Садовой. В здании Сената помещалась казенная лавка, где продавали именные указы, повеления и прочее.

В 1820–1830-х годах обороты столичной книжной торговли быстро растут: с распространением грамотности увеличиваются тиражи. Самая популярная книга эпохи – «Басни» И. А. Крылова – с 1830 по 1840 год была отпечатана в количестве сорока тысяч экземпляров.

Если в XVIII веке большинство отечественных писателей состояло на государственной службе, а литературой занималось «от должности в часы свободны», то в названное время литературный труд все чаще становится для писателя источником существования. «. . . Я пишу для себя, а печатаю для денег, а ничуть не для улыбки прекрасного пола», – говорил Пушкин. В одной из своих статей он писал: «У нас, как заметила m-me de Staël, словесностью занимались большею частию дворяне. Это дало особенную физиономию нашей литературе; у нас писатели не могут изыскивать милостей и покровительства у людей, которых почитают себе равными, и подносить свои сочинения вельможе или богачу, в надежде получить от него 500 рублей, или перстень, украшенный драгоценными каменьями . . . К тому же с некоторых пор литература стала у нас ремесло выгодное, и публика в состоянии дать более денег, нежели его сиятельство такой-то или его высокопревосходительство такой-то».

Посредник между литературой и публикой – издатель и книгопродавец (в те времена обе эти профессии часто совмещались в одном лице) – начинает играть заметную роль в культурной жизни столицы. Книжная лавка становится не только помещением, где торгуют книгами, но своего рода литературным клубом, где писатели толкуют о словесности между собою и с читателями.

У Слёнина в лавке на креслах сижу,
На книги, портреты уныло гляжу.
Вот бард наш Державин, вот Дмитрев, Крылов,
И вот Каталани – под нею Хвостов.
Тимковского цензора тут же портрет,
Есть даже Гераков, – Измайлова-с нет!
Авось доживу я до светлого дня!
Авось в книжной лавке повесят меня!
Чу!чу! Колокольчик в сенях зазвенел;
Хозяин с улыбкой к дверям полетел.
Кого-то к нам в лавку лукавый принес?
Не граф ли? . .

Рисунок на рукописи поэмы «Домик в Коломне»

Это отрывок из стихотворения А.Е.Измайлова «Слёнина лавка», где увековечен книжный магазин И.В.Слёнина. Другой петербургский торговец книгами И.Т.Лисенков рассказывал о Слёнине: «К Ивану Васильевичу по Невскому проспекту заходили мимоходом во время прогулок литераторы, так как в его магазине принимались подписки на получение газеты «Русский инвалид» и он был комиссионером редакции, то все знакомые покупатели «Истории» Карамзина, которую он приобрел печатанием 2-го издания, получали от него по подписным билетам и выдавались им по томам. Поэт барон Дельвиг, издатель «Литературной газеты», бывший у него часто на чае, приводил с собою всех своих литературных тружеников на перепутье по Невскому к Слёнину, где и отличались один перед другим разными остротами и сарказмами на все им знакомое. Слёнин, как понимал французский их разговор и любитель шуток, это его весьма интересовало. Поэты Воейков, Розен, Пушкин и прежние литераторы и журналисты тянулись побеседовать вкупе со Слёниным о прежнем и новом житье-бытье русской литературы».

Пушкин записал в альбом Слёнина посвященные ему дружеские стихи.

О собственных своих отношениях с писателями И.Т.Лисенков рассказывал так: «Пушкин посещения делал к Лисенкову довольно часто, когда издавал журнал «Современник»; ему нужно было знать о новых книгах для помещения беглого разбора о них в его журнале; иногда ему приходила охота острить у Лисенкова в магазине над новыми сочинениями . . . и Лисенков невольно хохотал, и сам Пушкин улыбался, читая только одни кончики слов, рифмы, и, закрывая книги, произносил иногда: «а! бедные!» Крылов заходил справляться, не получены ли новые сочинения Александра Анфимьевича Орлова из Москвы . . . Сочинения Орлова занимали Крылова любознательностью выражений редких русских слов, но весьма метких в его писаниях, а Ивану Андреевичу нужно было заимствовать меткие слова для басен своих».

Некоторые книгопродавцы, становясь приверженцами одной из литературных партий, случалось, даже вмешивались в литературную борьбу. Так, тот же Лисенков в начале 1830-х годов объявил в газетах, что у него продается литографированный портрет знаменитого французского сыщика Видока. Однако покупателям, заинтересовавшимся внешностью Видока, книгопродавец вручал портрет Фаддея Булгарина. Дело в том, что Видок («Видок-Фиглярин») было общеизвестным прозвищем Булгарина, данным ему Пушкиным.

Роль книгопродавцов в литературной жизни представлялась современникам столь значительной, что Белинский в 1834 году в статье «Литературные мечтанья» полушутя, полусерьезно предлагал назвать современную литературную эпоху «смирдинским периодом».

Ставший в начале 1830-х годов одним из самых известных людей в Петербурге, А.Ф. Смирдин начал свою карьеру скромным приказчиком – сперва в лавке московского книгопродавца Ширяева, а затем петербургского – Плавильщикова. По завещанию хозяина, умершего в 1823 году, Смирдин унаследовал его книжную торговлю и библиотеку для чтения – при условии расплатиться с числившимися за лавкой долгами, довольно значительными. Поначалу Смирдин торговал там же, где и его предшественник, – в доме Гаврилова на Мойке у Синего моста. Однако дела его шли в гору, и в конце 1831 года Смирдин уже смог нанять для лавки и библиотеки помещение в одном из флигелей лютеранской церкви св. Петра на Невском. В том же доме помещались магазины «лучших шляп» Циммермана, «отличных ситцев русского изделия» Битепажа, косметический магазин Герке, нотная лавка Рихтера; квартал был самый фешенебельный, плата за наем помещения составляла тысячу рублей ассигнациями в месяц.

19 февраля 1832 года Смирдин, по случаю новоселья, устроил званый обед для петербургских литераторов и любителей литературы. На обеде присутствовали Крылов, Пушкин, Жуковский, Вяземский, Гоголь, Булгарин, Греч, граф Хвостов . . . Всего около пятидесяти человек. Среди них был и художник Александр Брюллов, который вскоре запечатлел смирдинское торжество в выразительном рисунке.

Обед прошел шумно и весело. Неугомонный граф Хвостов заставил дважды прочесть свои стихи, обращенные к Смирдину:

Угодник русских муз, свой празднуй юбилей,
Гостям шампанское для новоселья лей;
Ты нам Державина, Карамзина из гроба
К бессмертной жизни вновь, усердствуя, воззвал
Для лавра нового, восторга и похвал . . .

Произносили тосты в память почивших и в честь живых писателей. Пили и за здоровье Пушкина. Поэт, по словам одного из присутствовавших, «был как-то особенно в ударе», «острил преловко» и много смеялся. За столом напротив Пушкина сидел цензор В.Н. Семенов, лицеист второго выпуска. По сторонам от Семенова сидели Греч и Булгарин. «Ты, брат Семенов, сегодня словно Христос на Голгофе», – заметил Пушкин. Все засмеялись: Христос был распят на Голгофе между двумя разбойниками. Греч засмеялся и зааплодировал, Булгарин же «пришел в совершенное нравственное расстройство и задыхался от бешенства».

По окончании обеда, чтобы отблагодарить хозяина за гостеприимство, присутствовавшие писатели положили общими силами составить альманах «Новоселье» – в подарок Смирдину. Альманах этот вышел в двух частях. На обложке первой части помещен был гравированный С. Галактионовым рисунок А. Брюллова, изображающий смирдинский обед, на обложке второй части – гравюра, изображающая лавку Смирдина. На первом плане художник А. Сапожников нарисовал беседующих Пушкина и Вяземского.

Смирдинский альманах – пример характерного для эпохи коммерческого подхода книгопродавца-издателя к литературе. В то же время «Новоселье» – свидетельство высокого уровня тогдашней полиграфии. Стоит отметить, что в 1820-х и особенно в 1830-х годах во многом благодаря изобретению новой техники печатания, литографии, получают широкое распространение всевозможные иллюстрированные издания. Первая в России литография была основана бароном Шиллингом, изобретателем телеграфа, в 1816 году. А уже в начале 1820-х годов в Петербурге было предпринято издание ряда литографированных альбомов и в их числе «Собрание видов Санкт-Петербурга и окрестностей», выпущенное столичным Обществом поощрения художников, затем несколько серий видов столицы, изданные петербургским типографщиком А. Плюшаром.

В «Новоселье» Пушкин напечатал «Домик в Коломне» и «Анджело».

Сотрудничество Пушкина со Смирдиным началось в 1827 году, когда книгопродавец приобрел у поэта право на переиздание «Бахчисарайского фонтана», а затем «Кавказского пленника» и «Руслана и Людмилы». Смирдин предпринял первое полное издание «Евгения Онегина», издавал третью и четвертую части «Стихотворений Александра Пушкина», его «Поэмы и повести».

Появление в книжной лавке каждого нового произведения Пушкина приводило в волнение весь грамотный Петербург. В статье «Борис Годунов. Поэма Пушкина» Гоголь так рассказывает о появлении на прилавках магазина Смирдина пушкинской трагедии: «Книжный магазин блестел в бельэтаже XXXой улицы, лампы отбивали теплый свет на высоко взгроможденные стены из книг, живо и резко озаряя заглавия голубых, красных, в золотом обрезе, и запыленных, и погребенных, означенных силою и бессилием человеческих творений. Толпа густилась и росла. Гром мостовой и экипажей с улицы отзывалися дребезжанием в цельных окнах, и, казалось, лампы, книги, люди, все окидывалось легким трепетом, удвоявшим пестроту картины. Сидельцы суетились. «Славная вещь! Отличная вещь!» – отдавалось со всех сторон. «Что, батюшка, читали Бориса Годунова, нет? Ну, ничего же вы не читали хорошего» – бормотала кофейная шинель запыхавшейся квадратной фигуре. «Каков Пушкин?» – сказал, быстро поворотившись, новоиспеченный гусарский корнет своему соседу, нетерпеливо разрезывающему последние листы. – «Да, есть места удивительные!» – «Ну, вот наконец дождались и Годунова!» – «Как, Борис Годунов вышел?» – «Скажите, что это такое Борис Годунов? как вам кажется новое сочинение?» – «Единственно! Единственно! еще бы некоторой картины . . . О, Пушкин далеко шагнул!» – «Мастерство-та, главное – мастерство; посмотрите, посмотрите, как он искусно того . . .» – трещал толстенький кубик с веселыми глазками, поворачивая перед глазами своими руку с пригнутыми немного пальцами, как будто бы в ней лежало спелое прозрачное яблоко. «Да, с большим, с большим достоинством! – твердил сухощавый знаток, отправляя разом пол-унции табаку в свое римское табакохранилище. – Конечно, есть места, которых строгая критика . . . Ну, знаете . . . еще молодость . . . Впрочем, произведение едва ли не первоклассное!» – «Насчет этого позвольте-с доложить, что за прочность», – присовокупил с довольным видом книгопродавец: – «ручается успешная-с выручка денег . . .» –«А само-то сочинение действительно ли чувствительно написано?» – с смиренным видом заикнулся вошедший сенатский рябчик . . . «И конечно чувствительно! – подхватил книгопродавец, кинув убийственный взгляд на его истертую шинель: «Если бы не чувствительно, то не разобрали бы 400 экземпляров в два часа!»

При жизни Пушкина было издано несколько десятков тысяч экземпляров его произведений, не считая публикаций в журналах и альманахах. Почти все экземпляры пушкинских книг были отпечатаны в Петербурге, большая часть их попала в руки читателей именно в петербургских книжных лавках. В 1820 году появилась на брегах Невы первая книга Пушкина – поэма «Руслан и Людмила». В 1822 году здесь был издан «Кавказский пленник». В 1825 году в Петербурге увидела свет первая глава «Онегина», а в 1826 году – первое собрание стихотворений Пушкина. Петербуржцы первыми прочитали «Полтаву», «Бориса Годунова», «Повести Белкина», «Капитанскую дочку» и многие другие произведения поэта. И в этом смысле Петербург, более чем какой-нибудь другой город, был городом Пушкина.

❀❀❀

19 апреля 1836 года на сцене Александринского театра состоялась премьера комедии Н. В. Гоголя «Ревизор». Сюжет этой пьесы, которой так многим обязан русский театр, и не только театр, как известно, дал Гоголю Пушкин. Более того, автор «Ревизора» писал о Пушкине: «Ничего не предпринимал я без его совета. Ни одна строка не писалась без того, чтобы я не воображал его пред собою. Что скажет он, что заметит он, чему посмеется, чему изречет неразрушимое и вечное одобрение свое, вот что меня только занимало и одушевляло мои силы».

Едва ли не каждое крупное событие художественной жизни Петербурга 1830-х годов так или иначе было связано с именем Пушкина.

В конце ноября того же, 1836 года в стенах петербургского вольного театра впервые прозвучала опера М. И. Глинки «Иван Сусанин». По этому поводу Жуковский, Вяземский, Виельгорский, Одоевский и Пушкин сочинили шуточный «торжественный канон». Пушкину в нем принадлежало четверостишие:

М. Ю. Виельгорский

Слушая сию новинку,
Зависть, злобой омрачась,
Пусть скрежещет, но уж Глинку
Затоптать не может в грязь.

Сочинение, пусть шуточного, но восторженного канона в честь Глинки не покажется просто поэтической забавой, если вспомнить, что тогда же, на первом представлении оперы, в адрес композитора раздалась неприкрытая брань. Сам Глинка рассказывал: «Некоторые из аристократов, говоря о моей опере, выразились с презрением: «C'est la musique des cochers» («Это музыка для кучеров»). Булгарин в «Северной пчеле», отрицая новаторство Глинки, писал: «В музыке не может быть никакой новой стихии, и в ней невозможно открыть ничего нового».

Приветливое слово Пушкина было тем важнее для автора первой русской национальной оперы, что поэзия Пушкина, как и его личность, оказали огромное влияние на творческое развитие композитора. Об этом Глинка сам говорит в своих «Записках».

В начале 1836 года московский приятель Пушкина П. В. Нащокин сообщал поэту о приезде художника К. П. Брюллова и писал: «Тебя, т.е. твое творение он понимает . . . Очень желает с тобой познакомиться . . .» Как и для многих его сверстников, для Брюллова стихи Пушкина были образцом высокой жизненной правды и классического совершенства. Пушкин, в свою очередь, оценил талант художника. Увидев картину Брюллова «Последний день Помпеи», которая еще осенью 1834 года была привезена из Италии и выставлена в одной из зал Академии художеств, Пушкин посвятил ей несколько строк, где дал поэтическое переложение избранного Брюлловым сюжета:

Везувий зев открыл – дым хлынул клубом – пламя
Широко развилось, как боевое знамя,
Земля волнуется – с шатнувшихся колонн
Кумиры падают! Народ, гонимый страхом,
Под каменным дождем, под воспаленным прахом,
Толпами, стар и млад, бежит из града вон.

Желание Брюллова познакомиться с Пушкиным осуществилось весной 1836 года. Пушкин писал жене из Москвы: «Он очень мне понравился. Он хандрит, боится русского холода и прочего . . . Мне очень хочется привезти Брюллова в П⟨етер⟩б ⟨ург⟩. А он настоящий художник . . .» Брюллов – и это служило знаком его высокого уважения к поэту – захотел написать портрет Пушкина.

Известен рассказ А. Н. Мокрицкого о посещении Пушкиным мастерской Брюллова в Академии художеств.

«Сегодня в нашей мастерской было много посетителей – это у нас не редкость; но, между прочим, были Пушкин и Жуковский. Сошлись они вместе, и Карл Павлович угощал их своею портфелью и альбомами. Весело было смотреть, как они любовались и восхищались его дивными акварельными рисунками, но когда он показал им недавно оконченный рисунок: «Съезд на бал к австрийскому посланнику в Смирне», то восторг их выразился криком и смехом ⟨. . .⟩ Пушкин не мог расстаться с этим рисунком, хохотал до слез и просил Брюллова подарить ему это сокровище; но рисунок принадлежал уже княгине Салтыковой, и Карл Павлович, уверяя его, что не может отдать, обещал нарисовать ему другой. Пушкин был безутешен; он, с рисунком в руках, стал перед Брюлловым на колени и начал умолять его: «Отдай, голубчик! Ведь другого ты не нарисуешь для меня; отдай мне этот». Не отдал Брюллов рисунка, а обещал нарисовать другой».

Несколько дней спустя поэт должен был начать позировать Брюллову для портрета. Но этому помешала трагическая смерть Пушкина.

Надо сказать, что личность Пушкина вообще привлекала особое внимание современных ему художников. Только за первые несколько лет после возвращения поэта из ссылки его портреты писали и рисовали О. А. Кипренский, В. А. Тропинин, Ж. Вивьен, П. Ф. Соколов, Г. Гиппиус, Г. Г. Чернецов, А. П. Брюллов и другие. Гравированный портрет поэта, выполненный по оригиналу Кипренского Н. И. Уткиным, был напечатан дважды – в 1828 году в альманахе «Северные цветы» и при втором издании «Руслана и Людмилы». Кипренскому Пушкин позировал в доме графа Шереметева на Фонтанке, где жил художник и была его мастерская.

Поэт был желанным гостем в мастерских многих петербургских художников.

В марте 1836 года скульптор Б. И. Орловский в своей мастерской в Академии художеств показывал поэту модели статуй М. И. Кутузова и М. Б. Барклая-де-Толли, выполненные им для памятников, которые позже были установлены на Невском проспекте возле Казанского собора. Этим посещением мастерской скульптора вызвано к жизни стихотворение «Художнику».

> Грустен и весел вхожу, ваятель, в твою мастерскую:
> Гипсу ты мысли даешь, мрамор послушен тебе:
> Сколько богов, и богинь, и героев! . . Вот Зевс Громовержец,
> Вот исподлобья глядит, дуя в цевницу, сатир.
> Здесь начинатель Барклай, а здесь совершитель Кутузов.
> Тут Аполлон – идеал, там Ниобея – печаль . . .
> Весело мне. Но меж тем в толпе молчаливых кумиров –
> Грустен гуляю: со мной доброго Дельвига нет;
> В темной могиле почил художников друг и советник.
> Как бы он обнял тебя! как бы гордился тобой!

На выставке в Академии художеств 1836 года внимание поэта привлекли работы молодых скульпторов Н. С. Пименова и А. В. Логановского на сюжеты «из коренных русских обычаев». Посмотрев «Бабошника» Пименова, Пушкин воскликнул: «Слава богу! наконец и скульптура в России явилась народная». Президент Академии художеств А. Н. Оленин представил Пушкину автора статуи. «Пушкин пожал руку Пименова, назвал его собратом. Долго всматриваясь и отходя на разные расстояния, поэт в заключение вынул записную книжку и тут же написал экспромт:

> Юноша трижды шагнул, наклонился, рукой о колено
> Бодро оперся, другой поднял меткую кость.
> Вот уж прицелился . . . прочь! раздайся, народ любопытный,
> Врозь расступись; не мешай русской удалой игре.

Написанный листок вручен самим поэтом художнику, с новым пожатием и приглашением к себе». Так, много лет спустя, рассказывал сам Пименов, сохранивший память о встрече с поэтом как об одном из наиболее значительных событий своей жизни.

Доброе слово, сказанное Пушкиным, хранили в памяти все те, кому посчастливилось его услышать.

В. Г. Белинский писал: «. . . Я слышал похвалы себе от умных людей и – что еще лестнее – имел счастие приобрести себе ожесточенных врагов; и все-таки больше всего этого меня радуют доселе и всегда будут радовать, как лучшее мое достояние, несколько приветливых слов, сказанных обо мне Пушкиным и, к счастию, дошедших до меня из верных источников. И я чувствую, что это не мелкое самолюбие с моей стороны, а то, что я понимаю, что́ такое человек, как Пушкин, и что такое одобрение со стороны такого человека, как Пушкин».

Пушкин был не только великим поэтом. С него началась и в нем ярче всего воплотилась новая русская культура. Пушкин – это не только гениальные стихи, это – новый литературный язык, новые возможности мышления и мироощущения, новая жизненная правда. Понятно, что Пушкин стал – не мог не стать – центром духовной жизни эпохи. Внешним выражением этого была та беспримерная популярность, которой пользовался Пушкин у современников. Не только для всей читающей России, но и для тех, кто никогда не прочел ни одной его строки, имя его было синонимом слова «поэт».

Если же мы попытаемся очертить круг дружеских связей Пушкина с деятелями тогдашней русской культуры, то рядом с именами Гоголя, Жуковского, Глинки, Вяземского, Брюллова, Грибоедова встанут имена актера Щепкина, физика Шиллинга, путешественника-востоковеда Бичурина, историка Погодина и многих, многих других.

Вспоминая о времени 1830-х годов, И. С. Тургенев писал: «Пушкин был в ту эпоху для меня, как и для многих моих сверстников, чем-то вроде полубога. Мы действительно поклонялись ему».

Другой современник рассказывает о характерном эпизоде: «Особый эпизод в студентской нашей жизни было посещение Пушкина, приглашенного профессором Плетневым на одну из его очаровательных лекций. Помнится, в каком воодушевленном состоянии Плетнев поднялся на кафедру и как в то же время в дверях аудитории показалась фигура любимого поэта с его курчавою головой, огненными глазами и желтоватым нервным ликом . . . Пушкин сел, с каким-то другим господином из литераторов, на одну из задних скамей и внимательно прослушал лекцию, не обращая внимания на беспрестанное осматривание его обращенными назад взорами сидевших впереди его студентов 〈. . .〉Профессор, читавший о древней русской литературе, вскользь упомянул о будущности ее, и при сем имя Пушкина прошло через его уста; возбуждение было сильное и едва не перешло в шумное приветствие знаменитого гостя. Это было уже в конце урочного часа, и Пушкин, как бы предчувствуя, что молодежь не удержится от взрыва, скромно удалился из аудитории, ожидая окончания лекции в общей проходной зале, куда и вскоре вышел к нему Плетнев, и они вместе уехали».

Бывало, что уважение и симпатии к Пушкину выражались и в шумных приветствиях порой даже случайными прохожими на петербургских улицах. Со слов известного ученого и путешественника П. П. Семенова-Тян-Шанского литератор рассказывает: «. . . Приехав молодым в Петербург, П. П. Семенов с кем-то из своих родственников шел по улице и вдруг услышал вдали шум. Показалась толпа народа; родственник П. П. Семенова предупредил его, что они сейчас встретят императора Николая Павловича; но оказалось, что толпа сопровождала Пушкина, которому при этом кричали: «Браво, Пушкин!», аплодировала и т.п.»

Если власть, полная и безраздельная, над внешней стороной жизни Петербурга принадлежала тогда императору Николаю I, то его духовной жизнью руководил в первую очередь Пушкин – титулярный советник и сочинитель, состоявший под тайным надзором полиции. И власть этого не титулованного и не сановного человека в известном смысле была обширнее власти самого царя. «Очевидно, что аристократия самая мощная, самая опасная, – записал Пушкин, – есть аристократия людей, которые на целые поколения, на целые столетия налагают свой образ мыслей, свои страсти, свои предрассудки. Что значит аристократия породы и богатства в сравнении с аристократией пишущих талантов? Никакое богатство не может перекупить влияние обнародованной мысли. Никакая власть, никакое правление не может устоять противу всеразрушительного действия типографического снаряда». Эти слова, безусловно, характеризуют и то влияние, которое сам Пушкин оказал на жизнь и своих современников, и последующих поколений.

❀❀❀

Нравы и характер петербуржцев – от первого сановника и до последнего мужика – нагляднее всего проявлялись, вероятно, в развлечениях, увеселениях, праздниках, которых немало было в столице.

Самым «мужицким», а потому и самым популярным в городе зрелищем (в 1831 году дворовых и крестьян проживало в столице 215 594 человека) были балаганы. На Масляной неделе и на Пасху они выстраивались вдоль всей Адмиралтейской площади, от Невского до Исаакия – размалеванные, «с пестрыми флагами и с толпой паяцев и штукарей на балконах, украшенных сверху и снизу разнообразными вывесками, изображающими то альбиноса с красными глазами и белыми, длинными волосами, то ученого слона, то вольтижера на конях, то колоссальную девушку-прорицательницу, то чудесных канареек, разыгрывающих комедии, то собачий балет, то ташеншпилерские и жонглерские штуки, то зверинец, то . . . всего не перечесть!!!»

О балаганных развлечениях подробно извещала публику газета «Северная пчела». Так, весною 1834 года она рассказывала, что содержатель самого известного в столице балагана Леман «обещает сцены в современном роде; терзание Панталона; разрыв Пьерро на две части; появление мумий; превращение бочек в чертей и пр.» Кроме того, газета извещала, что «из берейтеров и акробатов явились двое: Вале и Робба. Группы их отличаются мастерскою верховой ездою и вольтижированием. Фокусников и штукмейстеров двое же: знаменитый Мекгольд, уроженец митавский, именующийся в Германии на афишах Русским человеком Карлом Ивановичем фон Мекгольдом, и Молдуано, брат штукаря, который уносил из театральной залы дамские шляпки на городскую башню». Любопытное зрелище обещала «Северная пчела» в балагане Герольда: «он представляет публике полную клетку ученых канареек, род птичьей консерватории; пернатые его ученицы танцуют, маршируют, мечут артикул, стреляют, умирают, оживают и проч. и пр., точно люди, только безграмотные. В этом балагане достоин замечания паяццо, солдат, родом, кажется, малороссиянин, самая комическая физиономия, забавник, остряк, импровизатор».

Помимо балаганов газета уговаривала почтеннейшую публику посетить также панораму и космораму: «Советуем любопытствующей публике дорогою к балаганам зайти в панораму и космораму гг. Лексы и Зарича, на Невском проспекте, в доме Косиковского, наискось Английского магазина. Представляемые там виды занимательны и прекрасны. Вы увидите, во-первых, панораму Константинополя. Во-вторых, в космораме: внутренность Успенского собора во время коронации; штурм и взятие Варшавы; смерть Наполеона; внутренность церкви св. Петра в Риме и большой залы в Мариенбургском замке; виды Московского Кремля с Каменного моста; Гатчинского дворца; прекрасного замка в поместье Фалль, принадлежащего графу А. Х. Бенкендорфу, и проч. и проч. Цена за вход в космораму самая сходная, по рублю с персоны, а с детей по полтине».

Возле балаганов, в центре Адмиралтейской площади, устраивали деревянные катальные горы и всевозможные качели и карусели. В зимнее время ледяные катальные горы ставили прямо на Неве. «Толчок при спуске так силен, – говорит очевидец, – что санки продолжают двигаться в течение 1/4 часа по круглой ледяной арене, окруженной забором и скамьями для зрителей; вокруг в 5 или 6 рядов едут кареты; порядок поддерживают солдаты».

Разумеется, «чистая публика» не принимала участия в простонародных развлечениях. Но ездила в каретах смотреть, как веселятся мужики. Иногда «под балаганы» приезжал и сам царь с императрицей, наследником и со свитой. Изредка в толпе простолюдинов, среди армяков и поддевок, можно было видеть и форменную шинель чиновника, и мундир офицера, и сюртук литератора.

Огромные толпы собирались на льду Невы в дни крещенских парадов и бегов.

В четвертую среду после Пасхи, в день Преполовления, множество народа любовалось передвижением сотен пестро разукрашенных лодок, заполнявших все пространство реки возле крепости. По давнему поверию, в этот день определялось, быть или не быть «большой воде», «водосвящение» должно было предотвратить наводнение – праздник был самым петербургским.

«Черный люд» редко бывал праздным и без дела не ходил по улицам. «Благородные» петербуржцы, напротив, ежедневно после полудня прогуливались по бульварам – на Невском и возле Адмиралтейства.

Автопортрет. 1832

На Невском проспекте бульвар тянулся от Фонтанки до Мойки. Первоначально стройная липовая аллея шла посреди улицы на невысокой насыпи; позже насыпь срыли, а деревья рассадили вдоль тротуаров.

Весьма характерной была история появления бульвара на Невском: зимою 1800 года Павлу I неожиданно пришла в голову мысль украсить главную улицу своей столицы липовой аллеей. Были мобилизованы десять тысяч рабочих, подрядчики обязались поставить в нужном количестве большие деревья, руководить работами царь поручил великому князю Александру. Несмотря на сильные морозы, мешавшие работе, посыпанная песком, окруженная каменной оградой, ровно через месяц аллея была готова.

Невский проспект был «постоянное торжище и самое деятельное и живое место всей столицы». В числе его достопримечательностей были не только Аничков дворец, Казанский собор, дворец Строгановых, Публичная библиотека, Александринский театр, но и Гостиный двор, Серебряные ряды с телеграфной башней, роскошный ресторан Талон-Фельет в доме Косиковского и «китайское кафе» Вольф и Беранже в доме Котомина, бесчисленные магазины, заявлявшие о себе золочеными вывесками, в два-три ряда облепившими фасады домов. Гулявшим по бульвару было что обозревать.

Бульвар на Невском почти вплотную подходил к другому знаменитому петербургскому бульвару – Адмиралтейскому. Он появился еще в те годы, когда по проекту А. Д. Захарова перестраивалось здание Адмиралтейства, были срыты старые валы и засыпаны рвы. С трех сторон окаймлял он огромное здание. С него можно было любоваться красотами Невы, набережных, площадей и проспектов. Здесь всегда было людно. Отсюда по городу распространялись всевозможные вести и слухи. «. . . И чем невероятнее и нелепее был слух, – говорит современник, – тем скорее ему верили. Спросишь бывало: «Где вы это слышали?» – «На бульваре», – торжественно отвечал вестовщик, и все сомнения исчезали».

А 1 мая петербуржцы устремлялись в Екатерингоф. С петровских времен так называлась местность за Калинкиным мостом, по Петергофской дороге, где находился один из царских дворцов, окруженный обширным парком. В этот день здесь происходило «большое публичное гуляние». Как говорится в одном из путеводителей по Петербургу, в Екатерингоф «избранная публика ездит в экипажах или верхом, или прогуливается, чтобы видеть и быть видиму». Если под балаганами «избранная публика» выступала в качестве зрителей, то здесь она была действующим лицом, а мужики, стоя на обочине дороги, могли лишь наблюдать за процессией. Впрочем, в Екатерингофе было приготовлено развлечение и для них. «В приятном леску, – сообщает тот же путеводитель, – раскинуты палатки, в коих простой народ забавляется и веселится». А вот как рассказывал о Екатерингофском гулянии молодой Гоголь в письме к матери: «. . . все удовольствие состоит в том, что прогуливающиеся садятся в кареты, которых ряд тянется более нежели на 10 верст и притом так тесно, что лошадиные морды задней кареты дружески целуются с богато украшенными длинными гайдуками. Эти кареты беспрестанно строятся полицейскими чиновниками и иногда приостанавливаются по целым часам для соблюдения порядка, и все это для того, чтобы объехать кругом Екатерингоф и возвратиться чинным порядком назад, не вставая из карет. И я было направил смиренные стопы свои, но обхваченный облаком пыли и едва дыша от тесноты возвратился вспять». Незадолго перед тем по-гоголевски изобразил Екатерингофское гуляние на своей веселой панораме художник К. Гампельн.

В течение всего мая, особенно по воскресным дням, «местом блистательнейшего, избраннейшего гульбища» бывал Летний сад. Играл военный оркестр. Туалеты дам, заполнявших широкие аллеи, соперничали в нарядности и пестроте с мундирами гвардейских офицеров. В Духов день, на второй день Троицы, «собирался сюда почти весь город, и особливо русское купечество и мещанство, в праздничных, богатых нарядах. Купцы, с женами и дочерями, окаймляют аллеи, а молодые купчики, в пуховых шляпах и в щегольских сибирках, расхаживают мимо, стараясь обратить на себя внимание. Это в среднем быту называется смотром невест».

Летний сад уже не был столь обширен и богато украшен, как при его основателе Петре I, но все же он оставался самым большим и красивым садом столицы. Густая зелень его лип, кленов, дубов отражалась в серо-голубой воде, окружавшей его со всех сторон. Достопримечательностями сада были беломраморные статуи, прославленная решетка, летний дворец Петра I, «Кофейный домик», построенный К. Росси на месте петровского грота.

Летом, когда избранная публика покидала столицу, особенно в дневные часы, Летний сад был тихим и пустынным. Вот в это-то время, летом 1834 года, постоянным его посетителем бывал Пушкин, живший поблизости, сразу за Пантелеймоновским мостом, в доме Оливье. «. . . Летний сад мой огород, – писал поэт жене 11 июня, – Я вставши от сна иду туда в халате и туфлях. После обеда сплю в нем, читаю и пишу. Я в нем дома».

Издавна привлекали петербуржцев невские острова – Крестовский, Каменный, Елагин, Петровский. По воле их владельцев – членов царской фамилии и именитых вельмож – лучшие архитекторы возвели здесь роскошные дворцы, разбили вокруг них нарядные парки с прудами, беседками, гротами, перекинули через речки легкие мосты. Живописное сочетание зелени и воды, море – совсем близкое . . .

В 1820–1830-х годах по берегам Невы, Большой и Малой Невки, Черной речки стояли в немалом количестве личные дома. Среди них были роскошные загородные резиденции столичной знати. Были и дачи много проще, владельцы которых – состоятельные горожане из мещан и купцов, а то и дворян – охотно сдавали их на лето тем петербуржцам, которые своих дач не имели, но желали, «чтобы по крайней мере жена и дети могли подышать свободным воздуком и найти отдохновение и удовольствие в прекрасной природе».

Летом 1830 года одну из таких дач на берегу Невы у Крестовского перевоза снимали Дельвиги. Вместе с ними жила А. П. Керн. Постоянно наведывался кто-нибудь из друзей – Сомов, Глинка, Яковлев. Когда Пушкин был в Петербурге, он являлся на даче Дельвигов почти ежедневно. «Время проводили тогда очень весело, – вспоминал А. И. Дельвиг. – Слушали великолепную роговую музыку Дмитрия Львовича Нарышкина, игравшую на реке против самой дачи, занимаемой Дельвигами . . . Нельзя не сказать, что хор роговой музыки Нарышкина, состоявший из очень большого числа музыкантов, был доведен до совершенства. Чтение, музыка и рассказы Дельвига, а когда не бывало посторонних – и Пушкина, занимали нас днем. Вечером, на заре закидывали невод, а позже ходили гулять по Крестовскому острову».

Летом 1833 и 1835 годов Пушкины снимали дачу на Черной речке у некоего Миллера, а в 1836 году на Каменном острове у Ф. О. Доливо-Добровольского.

Дача стояла на самом берегу Большой Невки, неподалеку от летних резиденций Кочубеев, Строгановых, Виельгорских, Голицыных. Светское общество проводило время во всевозможных увеселениях, в которых принимали участие и Наталья Николаевна и ее сестры. Пушкин участия в них не принимал. В эти месяцы, после похорон матери и перед дуэлью, поэта редко видели веселым. Он был поглощен своими литературными и историческими трудами, хлопотами по «Современнику», материальными заботами. Часто ходил в город, а на даче предпочитал уединенные прогулки по глухим дорогам, пустынным берегам, тихому Благовещенскому кладбищу. 14 августа была сочинена элегия «Когда за городом, задумчив, я брожу . . .»

«1836 авг. 21. Кам. остр.» – так пометил Пушкин черновую рукопись своего поэтического завещания «Я памятник себе воздвиг нерукотворный . . .»

Признанным центром общественных увеселений осеннего и зимнего Петербурга был дом В. В. Энгельгардта на Невском проспекте у Казанского моста. Здесь, в великолепной зале, вмещавшей до трех тысяч человек, устраивались публичные маскарады, балы, музыкальные вечера.

До постройки в 1839 году по проекту П. Жако белокаменного зала Дворянского собрания на Михайловской площади зал Энгельгардта был центром всей музыкальной жизни Петербурга. Лучшие русские исполнители и иноземные гастролеры демонстрировали здесь свое искусство.

Концерты, по свидетельству А. О. Смирновой-Россет, «давали каждую субботу . . . Requiem Моцарта, Creátion Гайдна, симфонии Бетховена, одним словом – серьезную немецкую музыку. Пушкин всегда их посещал». На одном из таких концертов в январе 1837 года видел поэта молодой Иван Тургенев. «Пушкина мне удалось видеть всего еще один раз, – вспоминал он, – за несколько дней до его смерти, на утреннем концерте в зале Энгельгардта. Он стоял у двери, опираясь на косяк, и, скрестив руки на широкой груди, с недовольным видом посматривал кругом. Помню его смуглое, небольшое лицо, его африканские губы, оскал белых, крупных зубов, висячие бакенбарды, темные желчные глаза под высоким лбом почти без бровей – и кудрявые волосы . . .Он и на меня бросил беглый взор; бесцеремонное внимание, с которым я уставился на него, произвело, должно быть, на него впечатление неприятное: он словно с досадой повел плечом – вообще он казался не в духе – и отошел в сторону».

Еще более, чем концертами, зал Энгельгардта был знаменит балами и маскарадами.

Несметное множество экипажей всех видов по вечерам стекалось к ярко освещенному подъезду, выстраиваясь шеренгой вдоль Невского проспекта и Екатерининского канала. Нередко появлялись здесь и кареты с императорским вензелем – Николай и все «августейшее семейство» считали возможным украшать энгельгардтовскую залу своим присутствием.

Владелец дома, В. В. Энгельгардт, в молодости принадлежал к кругу столичных вольнодумцев, состоял в «Зеленой лампе». Но прошли годы – он «остепенился», выгодно женился. Много лет знавший его Вяземский так характеризовал Энгельгардта: «Расточительный богач, не пренебрегавший веселиями жизни, крупный игрок, впрочем, кажется, на веку своем более проигравший, нежели выигравший, построитель в Петербурге дома, сбивавшегося на парижский Пале-Рояль, со своими публичными увеселениями, кофейнями, ресторанами. Построение этого дома было событием в общественной жизни столицы».

На протяжении 1830-х годов энгельгардтовские балы и общественные маскарады пользовались шумным успехом, были предметом постоянных толков в столичных гостиных, то восторженных, то насмешливых описаний в газетных и журнальных фельетонах, повестях, комедиях, водевилях. Именно зал Энгельгардта выбрал местом действия своей драмы «Маскарад» Лермонтов . . .

Открытие зала Энгельгардта Вяземский не зря назвал событием в общественной жизни столицы. Зал этот стал своеобразным символом эпохи 1830-х годов, когда всякие серьезные проявления общественной жизни беспощадно подавлялись, и Третье отделение и его коронованный глава постарались сделать основным содержанием общественной жизни столичного дворянства бесконечные праздники, увеселения и развлечения.

❀❀❀

Праздники, приемы, балы, торжественные выходы во дворце . . . Никакие затеи в тог-

Н. Н. Пушкина

дашней жизни столицы не требовали для своей подготовки усилий такой массы людей и в Петербурге, и вне его, как эти постоянные увеселения и церемонии при дворе.

Из пятидесяти миллионов человек, населявших империю, около миллиона являлись собственностью непосредственно императорской фамилии. Были это крестьяне, обрабатывавшие обширные царские земли. Известно, что в 1830 году, например, на содержание тринадцати членов «августейшего семейства» департамент, управлявший удельными имениями и крестьянами, выделил 1 118 000 рублей. Кроме того, родственники царя получали постоянное содержание из государственной казны: императрица – 600 тысяч в год, наследник – 300 тысяч и т. д. Эти деньги да еще солидные суммы, выделявшиеся из государственного бюджета по личному усмотрению императора, уходили на роскошные туалеты, обеды, содержание многочисленной прислуги, выездов, на ремонт старых и строительство новых дворцов.

Царю и членам царской фамилии в Петербурге принадлежало около десятка великолепных зданий – Аничков дворец, Таврический дворец, Мраморный дворец, Михайловский дворец, Каменноостровский дворец, Елагин дворец и другие. В окрестностях столицы – в Царском Селе, Павловске, Гатчине, Стрельне, Петергофе, Екатерингофе – были расположены роскошные летние царские резиденции . . .

Но, конечно, главным, собственно царским дворцом был Зимний дворец – пышное здание над державной Невой.

Зимний дворец был местом пребывания главы государства. Когда царь находился в столице, над Зимним развевалось знамя с двуглавым орлом – императорский штандарт. В Зимнем дворце решались все основные вопросы внутренней и внешней политики – он был, таким образом, важнейшим государственным учреждением. Более того – он был символом русской государственности. А потому в известном смысле дворец принадлежал не только русским царям, но и всей России.

В эпоху национального подъема, последовавшего за Отечественной войной 1812 года, общественную принадлежность своего дворца пожелал признать и сам Александр I. Император распорядился несколько дворцовых зал перестроить в грандиозную галерею и там поместить портреты русских военачальников, командовавших войсками в сражениях с наполеоновской армией. Из Англии был специально выписан известный портретист Д. Доу и в помощь ему придано двое петербургских живописцев А. В. Поляков и В. А. Голике. Художники работали почти десять лет, и в конце 1826 года Военная галерея Зимнего дворца была открыта для обозрения.

У русского царя в чертогах есть палата:
Она не золотом, не бархатом богата;
Не в ней алмаз венца хранится за стеклом;
Но сверху донизу, во всю длину, кругом,
Своею кистию свободной и широкой
Ее разрисовал художник быстроокой.
Тут нет ни сельских нимф, ни девственных мадонн,
Ни фавнов с чашами, ни полногрудых жен,
Ни плясок, ни охот, – а все плащи, да шпаги,
Да лица, полные воинственной отваги.
Толпою тесною художник поместил
Сюда начальников народных наших сил,
Покрытых славою чудесного похода
И вечной памятью двенадцатого года.
Нередко медленно меж ними я брожу
И на знакомые их образы гляжу,
И мнится, слышу их воинственные клики.

С начала 1830-х годов Пушкин был частым посетителем «Зимнего дворца, что против Петропавловской крепости».

Сюда приносил он свои стихи, чтобы через фрейлину А. О. Россет представить их на просмотр Николаю I.

Сюда приходил он читать книги и документы библиотеки Вольтера, когда занимался историей царствования Петра I (среди книг великого просветителя, приобретенных еще Екатериной II и размещенных в специальной зале императорского Эрмитажа, были редкие издания и документы по русской истории начала XVIII века – их доставляли Вольтеру из России).

В Зимний дворец являлся Пушкин и по долгу камер-юнкера . . .

Слава первого, величайшего русского поэта и вместе с тем положение родовитого дворянина давали Пушкину – едва ли не ему одному в Петербурге да и в целой России – возможность обращаться к новому царю с открытыми и настоятельными политическими рекомендациями, обращаться и в стихах, и в личных беседах.

В начале царствования Николая I, не видя способа противостоять «необъятной власти правительства», поэт счел себя обязанным выступить в роли советчика царя.

Семейным сходством будь не горд;
Во всем будь пращуру подобен:
Как он неутомим и тверд,
И памятью, как он, незлобен, –

наставлял Пушкин праправнука Петра I. И поначалу возлагал на молодого императора известные надежды.

«Государь, уезжая, оставил в Москве проект новой организации, контрреволюции революции Петра ⟨ . . . ⟩ – писал поэт одному из друзей в начале 1830 года. – Ограждение дворянства, подавление чиновничества, новые права мещан и крепостных – вот великие предметы. Как ты? Я думаю пуститься в политическую прозу».

Надежды на Николая-преобразователя в то время имели некоторое основание. Сразу по окончании следствия над арестованными декабристами царь приказал составить свод из их высказываний о положении дел в государстве. Один из экземпляров этого документа постоянно лежал на столе у Николая, а несколько других царь роздал высшим государственным сановникам. В частности, вручил графу Кочубею, которого назначил председателем секретного комитета, созданного вскоре после декабристов. Комитет рассматривал вопрос об освобождении крестьян и ряд других «великих предметов». Не сразу стало ясно, что комитет этот, как и ряд ему подобных, созданных впоследствии, на деле был призван лишь подтвердить убеждение царя, что никакие серьезные реформы общественного или государственного устройства отнюдь не нужны России. Не сразу стало ясно, что многообещающие проекты Николая – фикция, а результатом его кипучей деятельности окажутся лишь ничтожные изменения маловажных мелочей и частностей.

Только к середине 1830-х годов надежды Пушкина на нового царя-реформатора, наследника Петра I, обернулись разочарованием и досадой на то ложное положение, в котором оказался поэт при царском дворе.

1 января 1834 года Пушкин записал в «Дневнике»: «Третьего дня я пожалован в камер-юнкеры (что довольно неприлично моим летам). Но двору хотелось, чтобы Наталья Николаевна танцевала в Аничкове». При дворе не было места ни Пушкину-поэту, ни Пушкину – общественному деятелю, и Николай не придумал ничего лучшего, как записать поэта в царедворцы . . .

Огромная и сложная организация, именовавшаяся царским двором, была непременной принадлежностью Петербурга. Пышность двора должна была соответствовать богатству и величию владельца Зимнего дворца. Только штат двора императрицы составляли: обергофмейстерина, 21 статс-дама, кавалерственных дам ордена св. Екатерины первой степени – 7 и второй степени – 136, камер-фрейлин – 3, фрейлин – 158, гофмейстерина при фрейлинах, секретарь и 2 чиновника собственной ее императорского величества канцелярии – всего 330 человек. Двор самого императора состоял из 416 человек, двор наследника из 11. Были дворы у великих князей, княгинь, княжен . . . Обязанностью придворных было в определенные дни присутствовать, в определенные дни поздравлять, в определенные дни веселиться.

Для Петербурга той эпохи чрезвычайно характерна роль, которую царь отводил своему двору. При скудости тогдашней русской государственной жизни Николай придавал дворцовым праздникам вид важных событий, создал министерство Двора – словно для управления одной из важнейших отраслей государственной жизни, и даже проблема придворных туалетов решалась царем не иначе, как с государственной точки зрения. « . . . Поговаривают также о законе против роскоши для придворных дам, коим хотят присвоить однообразную форму», – сообщал современник в ноябре 1833 года. А несколькими днями позже писал: «Петербург занят преобразованием в костюме фрейлин и придворных дам. Придумали новый, как говорят, национальный костюм, который эти дамы будут обязаны носить в дни больших выходов при дворе. Это нечто вроде офранцуженного сарафана, из бархата зеленого цвета – для статс-дам и пунцового – для фрейлин».

Граф Хвостов, чувствуя именно государственную важность, как он выразился, «придворных дамских уборов», не преминул тут же сочинить восторженную «Русскую песню», которая оканчивалась словами:

Нужны ль прихоти чужие,
Где сияет красота,
Как в ночи звезда небесна?
Под повязкой парчевой,
Восхитительна, прелестна,
Лучше, нежель под беретом,
Роза без прикрас мила.

Слава матушке-царице!
Русский жалует народ.

Хотя фрейлины и статс-дамы принадлежали к двору «матушки-царицы», мысль о введении дамских «мундиров», несомненно, пришла в голову самому Николаю Павловичу.

«Осуждают очень дамские мундиры – бархатные, шитые золотом – особенно в настоящее время, бедное и бедственное», – записал в «Дневнике» Пушкин.

Благое желание царя умерить придворную роскошь и вместе вдохнуть национальный дух в придворную жизнь обернулось на деле изрядными дополнительными тратами и «офранцуженными сарафанами». Иначе, впрочем, и быть не могло, ибо в своем увлечении «национальным» Николай никогда не шел далее того, что позволяли светские приличия, а забота об экономии государственных средств все же не заставляла царя поступаться красотой очень тешивших его придворных празднеств.

«6-го был придворный (приватный маскарад), – читаем в том же пушкинском «Дневнике» за январь 1835 года. – Двор в мундирах времен Павла I-го. Граф Панин (товарищ министра) одет дитятей. Бобринский Брызгаловым (кастеланом Михайловского замка; полуумный старик, щеголяющий в шутовском своем мундире, в сопровождении двух калек-сыновей, одетых скоморохами. Замеч. для потомства). Государь полковником Измайловского полка etc. В городе шум. Находят это все неприличным». По воспоминаниям граф Панин был высокого роста и худощав – в детском костюмчике он, несомненно, выглядел чрезвычайно смешно. Вероятно, под стать ему были и прочие ряженые.

Еще забавнее, чем маскарад с переодеванием в павловские мундиры и детские штанишки, был праздник, на котором все присутствующие изображали античных богов и героев, причем женщины изображались персонами мужского пола, а мужчины – женского.

Бывали и другие затеи. С. Н. Карамзина в письме к своему брату, упоминая егермейстера императорского двора М. Ю. Виельгорского, между прочим, пишет: «. . . ты знаешь, что при дворе устроен китайский балет, и он там состоит главным балетмейстером».

Шутовские маскарады и «китайские балеты» давали в царском дворце нередко. Они были весьма характерными эпизодами в жизни петербургского большого света времен Николая I. Царский дворец превращался в заурядный барский дом, где челядь и многочисленные кормимые хозяином гости всячески изощряются в шутовстве и дурачествах, дабы угодить богатому барину, а капризный барин ни от чего другого не чувствует такого удовольствия, как от этого заискивания и унижения окружающих.

«Государю не угодно было, что о своем камер-юнкерстве отзывался я не с умилением и благодарностью, – записал Пушкин в «Дневнике» 10 мая 1834 года. – Но я могу быть подданным, даже рабом, но холопом и шутом не буду и у царя небесного».

Рядом с этой записью есть несколько других, как нельзя лучше демонстрирующих решимость поэта совершенно отстраниться от всех затей придворного холопства.

«28 ноября . . . Я был в отсутствии – выехал из Петербурга на 5 дней до открытия Александровской колонны, чтоб не присутствовать при церемонии вместе с камер-юнкерами, – своими товарищами . . .

5 дек. Завтра надобно будет явиться во дворец. У меня еще нет мундира. Ни за что не поеду представляться с моими камер-юнкерами, молокососами 18-летними. Царь рассердится, – да что мне делать? . .

. . . Я все-таки не был 6-го во дворце – и рапортовался больным. За мною царь хотел прислать фельдъегеря или Арнта».

В бальных залах дворца Пушкин был чужим. С завсегдатаями этих зал отношения его становились все более враждебными. Именно резкий контраст между теми лицами, которые видел поэт в этих залах, и теми, что видел он на портретах в галерее 1812 года, внушил ему мысль стихотворения «Полководец», откуда взято приведенное выше описание Военной галереи. Стихотворение это Пушкин закончил строками, обращенными к населявшей дворец светской черни:

> О люди! Жалкий род, достойный слез и смеха!
> Жрецы минутного, поклонники успеха!
> Как часто мимо вас проходит человек,
> Над кем ругается слепой и буйный век,
> Но чей высокий лик в грядущем поколенье
> Поэта приведет в восторг и в умиленье!

. . . 29 января 1837 года петербургские газеты не отметили никаких значительных событий.

Газета «Русский инвалид» в тот день сообщала своим читателям, что «его императорское величество объявляет высочайшее благоволение за отлично-ревностную службу корпуса жандармов: начальнику I-го округа генерал-лейтенанту Полозову, начальнику штаба, генерал-майору Дубельту 1-му, полковнику Дохтурову 2-му; подполковникам: Полю, Соколову 5-му и Столову 2-му; майору Горемыкину и старшему адъютанту того же корпуса, лейб-гвардии Гусарского полка ротмистру Леонтьеву».

В петербургской газете «Северная пчела» сообщалось о награждении орденом святой Анны I степени управляющего Третьим отделением собственной его императорского величества канцелярии действительного статского советника Мордвинова.

Был опубликован циркуляр министерства внутренних дел всем губернаторам об устройстве на службу молодых дворян – «новое свидетельство отеческого попечения его императорского величества о истинных пользах службы . . .» Губернаторы обязывались каждые шесть месяцев «представлять его императорскому величеству в собственные руки» соответствующие ведомости.

Были в столичных газетах от сего числа и такие сообщения.

В отделе «Внутренние известия»: «. . . Паровозы вновь ходили по Царскосельской железной дороге, на которую съехалось множество посетителей . . . Все три паровоза были пущены в ход по очереди, и прошли десять раз . . . Первый паровоз отошел в 11 часов утра, последний в половине 6-го пополудни, при свете фонарей. Каждый обоз состоит из паровоза, тендера с дровами и водою, повозки с трубною машиною из Англии, на которой играли во время поездок, двух берлинов, двух дилижансов, двух вагонов, двух шарабанков, и из повозки в 7 сажен длиною, назначенной для строевого леса, на которой устроены были места для 100 человек. Каждый обоз простирался на 300 футов в длину и заключал в себе 340 человек, когда все места были заняты».

В отделе «Зрелища»: «В пятницу, 29 января, представлено будет: на Александринском театре: «Подмосковные проказы, или Худой мир лучше доброй ссоры, оригинальный водевиль в одном действии», «Гусарская стоянка, или еще Подмосковные проказы, оригинальный водевиль в одном действии», «Царство женщин, или Свет наизворот, водевиль в двух действиях», «Филатка и Мирошка соперники, или Четыре жениха и одна невеста, народный водевиль в одном действии». На Михайловском театре: «Тридцать лет, или Жизнь игрока, драма в трех сутках». На Большом театре: «Бронзовый конь, волшебно-комическая опера в трех действиях . . .»

29 января 1837 года было последним днем жизни Пушкина.

27 января поэт дрался на дуэли с бароном Дантесом-Геккерном, приемным сыном голландского посланника при русском дворе, и был смертельно ранен. Врачи сразу же признали положение его безнадежным. Пушкин невыносимо страдал, но мужество и твердость духа не покидали его и в эти страшные дни. «Я был в тридцати сражениях, – говорил лейб-медик Арендт, – я видел много умирающих, но мало видел подобного».

Жуковский, Вяземский, А. Тургенев, лицейский товарищ и секундант Пушкина Данзас, врач и литератор Даль не отходили от умирающего.

Пристально следил за всем, что касалось Пушкина, – и в буквальном и в переносном смысле слова – Николай I. Из окон Зимнего дворца он мог наблюдать, как огромная толпа осаждала дом на Мойке.

29 января с раннего утра у подъезда была давка. В передней знакомые и незнакомые засыпали каждого выходящего из комнат вопросами:

– Что Пушкин? Легче ли ему? Поправится ли он? Есть ли надежда?

Какой-то старичок, попавший в переднюю, сказал с удивлением:

– Господи боже мой! Я помню, как умирал фельдмаршал, а этого не было! . .

К середине дня стало ясно, что Пушкину осталось жить считанные минуты.

«Друзья, ближние молча окружили изголовье отходящего, – вспоминал Даль, – я, по просьбе его, взял его под мышки и приподнял повыше. Он вдруг будто проснулся, быстро раскрыл глаза, лицо его прояснилось, и он сказал:

– Кончена жизнь!

Я не дослышал и спросил тихо: что кончено?

– Жизнь кончена, – отвечал он внятно и положительно, –

Тяжело дышать, давит, – были последние слова его».

Автопортрет. 1836

Было 2 часа 15 минут пополудни 29 января 1837 года.

«Спустя три четверти часа после кончины (во все время я не отходил от мертвого, мне хотелось вглядеться в прекрасное лицо его) тело вынесли в ближнюю горницу; а я, исполняя повеление государя императора, запечатал кабинет своею печатью», – рассказывал Жуковский.

Николай I тотчас отправил записку Бенкендорфу: «Пушкин умер; я приказал Жуковскому приложить свою печать к его кабинету и предлагаю вам послать Дубельта к Жуковскому, чтобы он приложил жандармскую печать для большей сохранности».

И только что получивший «высочайшее благоволение» за ревностную службу начальник штаба корпуса жандармов генерал-майор Дубельт запечатал кабинет Пушкина казенной печатью.

«29 генваря 1837 года . . , – пишет современник, – я зашел поклониться праху великого поэта. Народ туда валил толпами и посторонних посетителей пускали через . . . черную лестницу. Оттуда попал я прямо в небольшую и очень невысокую комнату, окрашенную желтой краской и выходившую двумя окнами на двор. Совершенно посреди комнаты (а не к углу, как это водится) стоял гроб, обитый красным бархатом, с золотым позументом . . . Все входившие благоговейно крестились и целовали руку покойного».

Другой современник свидетельствует: «В течение трех дней, в которые тело его оставалось в доме, множество людей всех возрастов и всякого звания беспрерывно теснились пестрою толпою вокруг его гроба. Женщины, старики, дети, ученики, простолюдины в тулупах, а иные даже в лохмотьях, приходили поклониться праху любимого народного поэта».

В. А. Жуковского особенно поразил какой-то старик, который с глубоким вниманием долго смотрел на лицо Пушкина. Он даже сел возле гроба и просидел неподвижно четверть часа. Слезы текли у него по лицу. Потом встал и пошел к выходу. Жуковский послал за ним, чтобы узнать его имя. «Зачем вам, – отвечал незнакомец. – Пушкин меня не знал, и я его не видел никогда, но мне грустно за славу России».

В Петербурге только и речи было, что о безвременной кончине поэта. «Мужики на улицах говорили о нем», – рассказывал П. А. Вяземский.

Все бросились по книжных лавкам покупать только что вышедшее миниатюрное издание «Евгения Онегина».

По словам современника, «весь Петербург всполошился. В городе сделалось необыкновенное движение. На Мойке, у Певческого моста (Пушкин жил тогда в первом этаже старинного дома княгини Волконской), не было ни прохода, ни проезда. Толпы народа и экипажи с утра до ночи осаждали дом; извозчиков нанимали, просто говоря: «к Пушкину», и извозчики везли прямо туда. Все классы петербургского народонаселения, даже люди безграмотные, считали как бы своим долгом поклониться телу поэта. Это было уже похоже на народную манифестацию, на очнувшееся вдруг общественное мнение».

В высших кругах столицы можно было наблюдать иную реакцию. В то время как студенты собирались бить окна в Нидерландском посольстве, люди из высшего общества ездили к барону Геккерену выражать свое сочувствие по поводу неприятностей, выпавших на долю его приемного сына и его самого. С. Н. Карамзина писала: «. . . между тем в нашем обществе у Дантеса находится немало защитников, а у Пушкина – и это куда хуже и непонятней – немало злобных обвинителей».

Но злобное шипенье недоброжелателей поэта выглядело особенно ничтожным среди всеобщей скорби и негодования.

Да, день 29 января 1837 года – день смерти Пушкина – навсегда вошел в историю Петербурга, в историю России.

Тебя ж, как первую любовь,
России сердце не забудет! . .

Этими словами Ф. И. Тютчев заключил стихотворение, которое назвал «29 января 1837 года».

Поэт Д. В. Давыдов писал из Москвы П. А. Вяземскому: «Пройдя сквозь весь пыл наполеоновских и других войн, многим подобного рода смертям я был виновником и свидетелем, но ни одна не потрясла душу мою, подобно смерти Пушкина. Грустно, что рано, но если уже умирать, то умирать так должно, а не так, как умрут те из знакомых нам с тобою литераторов, которые теперь втихомолку служат молебны и благодарят судьбу за счастливейшее для них происшествие. Как Пушкин-то и гением, и чувствами, и жизнию, и смертью парит над нами!»

Не только в своих стихах Пушкин выразил целую эпоху в жизни русского общеста, но и сама личность поэта на протяжении двух десятилетий была в центре общественной жизни страны. И гибель Пушкина стала одним из значительнейших событий русской истории – потому что обнажила, с предельной ясностью показала и современникам, и потомкам то прекрасное и то трагическое, что несла собою эпоха . . .

Рассматривая гравюры и литографии, рисунки и полотна, изображающие Петербург начала XIX века, мы невольно ощущаем в этих картинах жизни города присутствие Пушкина. Незримое, но тем не менее несомненное его присутствие. Так Пушкин «и гением, и чувствами, и жизнию, и смертью парит над нами».

РЕПРОДУКЦИИ

ПАНОРАМА ДВОРЦОВОЙ ПЛОЩАДИ

121–122

ДВОРЦОВАЯ ПЛОЩАДЬ

123–128

АДМИРАЛТЕЙСКАЯ ПЛОЩАДЬ

129–130

ИСААКИЕВСКАЯ ПЛОЩАДЬ

131–132

СЕНАТСКАЯ ПЛОЩАДЬ, ИСААКИЕВСКИЙ МОСТ
И АНГЛИЙСКАЯ НАБЕРЕЖНАЯ

133–136

ВАСИЛЬЕВСКИЙ ОСТРОВ, АКАДЕМИЯ ХУДОЖЕСТВ

137–151

ДВОРЦОВАЯ НАБЕРЕЖНАЯ, ЗИМНИЙ ДВОРЕЦ, ЭРМИТАЖ

152–163

ЛЕТНИЙ САД

164–168

ЦАРИЦЫН ЛУГ (МАРСОВО ПОЛЕ)

169–173

КАНАЛЫ, МОСТЫ, НАБЕРЕЖНЫЕ

174–178

ЧАСТИ – МОСКОВСКАЯ, ЛИТЕЙНАЯ, ПЕТЕРБУРГСКАЯ

179–187

ЕКАТЕРИНГОФСКОЕ ГУЛЯНЬЕ

188–191

ПЕРВЫЕ ПАРОВОЗЫ И ПАРОХОДЫ

192–193

ДАЧИ, ОСТРОВА

194–200

НЕВСКИЙ ПРОСПЕКТ. ПРАВАЯ СТОРОНА

201–218

НЕВСКИЙ ПРОСПЕКТ. ЛЕВАЯ СТОРОНА

219–230

НАБЕРЕЖНАЯ МОЙКИ БЛИЗ ДОМА ВОЛКОНСКОЙ

231

121. Панорама Дворцовой площади с лесов Александровской колонны. Литография по рисунку Г.Г. Чернецова. 1830-е гг. Фрагмент.

123. Дворцовая площадь. Зимний дворец. Гравюра Л. Тюмлинга. 1830-е гг.

122. Панорама Дворцовой площади с лесов Александровской колонны. Литография по рисунку Г. Г. Чернецова. 1830-е гг.

124. Вид на Дворцовую площадь через арку Главного штаба. Гравюра А. Тюмлинга. 1830-гг.

125. Открытие Александровской колонны 30 августа 1834 года. Картина Г. Г. Чернецова. 1834.

126. Дворцовая площадь. Главный штаб. Гравюра Л. Тюмлинга. 1830-е гг.

127. Вид на Дворцовую площадь со стороны Адмиралтейской площади. Гравюра Л. Тюмлинга. 1830-е гг.

128. Вид на Дворцовую площадь от начала Невского проспекта. Литография. 1820-е гг.

129. Вид на Адмиралтейство со стороны Дворцовой площади. Раскрашенная литография. 1820-е гг.

130. Адмиралтейская площадь. Литография Ф.-В. Перро. Около 1840 г.

131. Вид Исаакиевской площади от Синего моста через Мойку. Акварель В. С. Садовникова. 1830-е гг.

132. Вид Исаакиевской площади от Сената. Раскрашенная литография. 1820-е гг.

133. Монумент Петра I. Новые здания Сената и Синода.
Литография П.С. Иванова по рисунку В.С. Садовникова. 1830-е гг.

134. Вид на Исаакиевский мост, Исаакиевскую и Сенатскую площади зимою. Раскрашенная литография. 1830-е гг.

135. Английская набережная. Вид в сторону Исаакиевского моста и Сената.
Литография П. С. Иванова по рисунку В. С. Садовникова. 1830-е гг.

136. Адмиралтейская верфь. Литография К. П. Беггрова по рисунку К. Ф. Сабата и С. П. Шифляра. 1820-е гг.

137. Монумент Румянцеву на набережной Васильевского острова.
Литография К. П. Беггрова по рисунку В. С. Садовникова. 1830-е гг.

Рис. съ натуры Садовниковъ.
на Камнѣ Академ. Кар: Беггровъ.
МОНУМЕНТЪ РУМЯНЦОВУ
MONUMENT DE ROUMAINTZOFF.
Издатель А. Прево.
Editeur A. Prevost.

138. Академия художеств. Акварель Н.Г. Чернецова. 1826.

139. Вид Академии художеств с двумя сфинксами, украшающими новый спуск набережной Невы.
Литография П. С. Иванова по рисунку В. С. Садовникова. 1830-е гг.

140. Вестибюль Академии художеств. Гравюра. 1820-е гг.

141. Античная галерея Академии художеств. Картина Г. К. Михайлова. 1836.

142. Натурный класс Академии художеств. Рисунок А. Г. Венецианова.

143. Семейный портрет. Картина Ф.П. Толстого. 1830.

144. Набережная Невы у Академии художеств. Ночь. Картина Г. Г. Чернецова (?). 1830-е гг.

145. Набережная Невы у Академии художеств. Картина М. Н. Воробьева. 1835. Фрагмент.

146. У сфинкса на Неве в дождь. Рисунок В.К.Шебуева. 1830-е гг.

147. Набережная Васильевского острова. Гравюра Гоберта по рисунку А.М.Горностаева. 1834.

148. Биржа и Ростральные колонны. Литография С.Ф.Галактионова по его же рисунку. 1820-е гг.

149. Церковь св. Андрея Первозванного на Большом проспекте Васильевского острова.
Литография К. П. Беггрова по рисунку К. Ф. Сабата и С. П. Шифляра. 1820-е гг.

150. 1-я линия Васильевского острова.
Литография К. П. Беггрова по рисунку К. Ф. Сабата и С. П. Шифляра. 1820-е гг.

151. Лунная ночь в Петербурге. Картина М. Н. Воробьева. 1839.

152. Вид на Зимний дворец и Эрмитаж со стрелки Васильевского острова. Литография. 1820-е гг.

153. Дворцовая набережная. Гравюра Л. Тюмлинга. 1830-е гг.

154. Вид на арку Эрмитажа и здание казарм первого батальона лейб-гвардии Преображенского полка на углу Миллионной улицы и набережной Зимней канавки. Гравюра Гоберта по рисунку А. М. Горностаева. 1834.

155. Вид Эрмитажной библиотеки. Картина А. В. Тыранова. Около 1827 г.

156. Военная галерея в Зимнем дворце. Картина С. А. Алексеева. 1835.

157. Гербовый зал Зимнего дворца. Картина А. И. Ладюрнера. 1834.

158. Собрание у В. А. Жуковского.
Картина Г. К. Михайлова, А. Н. Мокрицкого и других художников школы А. Г. Венецианова. 1834–1835.

159. Дворцовая набережная у Эрмитажного театра. Гуашь с акварелью К. П. Беггрова. 1820-е гг.

160. Нева у Дворцовой набережной. Литография К. П. Беггрова по рисунку К. Ф. Сабата. 1820-е гг.

161. Вид плавучего моста, построенного в 1826 году через реку Неву, против монумента графа Суворова. Литография К. П. Беггрова. 1820-е гг.

162. Дворцовая набережная у дома Австрийского посольства. Гравюра А. Тюмлинга. 1830-е гг.

163. Великосветский салон. Акварель неизвестного художника. 1830-е гг.

164. Набережная Невы у Летнего сада. Раскрашенная гравюра. 1820-е гг.

165. В Летнем саду. Акварель К. П. Беггрова. 1820-е гг.

166. Группа писателей в Летнем саду. И. А. Крылов, А. С. Пушкин, В. А. Жуковский, Н. И. Гнедич. Этюд Г. Г. Чернецова. 1832.

167. Вид дворца Петра I в Летнем саду. Литография К. П. Беггрова по рисунку В. С. Садовникова. 1830-е гг.

168. Вид Инженерного замка из Летнего сада. Литография К.П.Беггрова по рисунку В.С.Садовникова. 1830-е гг.

169. Трехаркный мост через Мойку и Екатерининский канал у Царицына луга.
Литография П. С. Иванова по рисунку В. С. Садовникова. 1830-е гг.

170. Парад на Царицыном лугу в С.-Петербурге в 1831 году. Картина Г.Г. Чернецова. 1831–1837.

171, 172. Парад на Царицыном лугу в С.-Петербурге в 1831 году. Картина Г.Г. Чернецова. 1831–1837. Фрагменты.

173. Катальные горы на Царицыном лугу.
Литография К. П. Беггрова по рисунку К. Ф. Сабата и С. П. Шифляра. 1820-е гг.

174. Вид моста, построенного через реку Мойку в устье Екатерининского канала.
Литография К. П. Беггрова. 1828.

175. *Екатерининский канал. Вид на Казанский собор и Казанский мост. Картина Т. А. Васильева. 1820-е гг.*

176. *Цепной и пешеходный мост на Екатерининском канале между Казанским и Каменным мостами. Гравюра Гоберта по рисунку А. М. Горностаева. 1834.*

177. *Вид цепного моста, построенного в 1826 году на Екатерининском канале между Вознесенским и Харламовым мостами. Литография К. П. Беггрова. 1820-е гг.*

178. Вид Мойки, снятый со стороны Красного моста на Гороховой улице.
Литография К. П. Беггрова по рисунку В. С. Садовникова. 1830-е гг.

179. Мойка. Выезд пожарной команды.
Литография К. П. Беггрова по рисунку К. Ф. Сабата и С. П. Шифляра. 1820-е гг.

180. Площадь у церкви Владимирской богоматери. Литография Ф.-В. Перро. Около 1840 г.

181. Троицкий собор в слободе Измайловского полка. Гравюра Л. Тюмлинга. 1830-е гг.

182. Лютеранская церковь св. Анны. Гравюра Гоберта по рисунку А. М. Горностаева. 1834.

183. Съезжий двор на Большой Морской улице. Литография по рисунку А. Дюрана. 1839.

184. Площадь у Старо-Калинкина моста. Литография Ф.-В. Перро. Около 1840 г.

185. Александра-Невская лавра.
Акварель К. П. Беггрова с его же литографии по рисунку К. Ф. Сабаца и С. П. Шифляра. 1820-е гг.

186. Московский въезд. Гравюра Гоберта по рисунку А. М. Горностаева. 1834.

187. Троицкая площадь на Петербургской стороне. Литография Ф.-В. Перро. Около 1840 г.

188–191. Панорама Екатерингофского гулянья. Раскрашенная гравюра К.К.Гампельна. 1825. Фрагменты.

192. Поезд Царскосельской железной дороги. Раскрашенная литография. 1837.

193. Пароход идет в Кронштадт. Литография. 1820-е гг.

194. Дачи Миллера на Черной речке. Литография. 1820-е гг.

195. Вид двухэтажной дачи на Черной речке. Акварель К. И. Кольмана. 1838.

196. Вид с Каменного острова на Крестовский и Аптекарский острова. Картина С.Ф. Галактионова. 1820-е гг.

197. Вид с Каменноостровского моста. Раскрашенная литография С. Ф. Галактионова. 1822.

198. Вид на Елагин остров. Акварель М.Н.Воробьева. 1829.

199. Острова вечером. Акварель К.И.Кольмана. 1835.

200. Дача Д.Л.Нарышкина на берегу Невы. Раскрашенная литография. 1820-е гг.

202. Вид Фонтанки от Аничкова моста. Гравюра Гоберта по рисунку А. М. Горностаева. 1834.

201. Панорама Невского проспекта, правая сторона. Фрагмент – Аничков дворец.
Раскрашенная литография П. С. Иванова по рисунку В. С. Садовникова. 1835.

203. Невский проспект у Аничкова дворца. Гравюра Гоберта по рисунку А. М. Горностаева. 1834.

204. Невский проспект у Аничкова дворца. Литография Беземана. 1830-е гг.

205. Аничков дворец. Главный фасад. Литография. 1820-е гг.

206. Аничков дворец со стороны Фонтанки. Акварель В.С. Садовникова. 1838.

207. Аничков дворец. Парадная лестница. Картина С.К. Зарянко. Середина XIX в.

209. Петербургский Малый театр. Гравюра по рисунку К.Ф. Сабата. 1820-е гг.

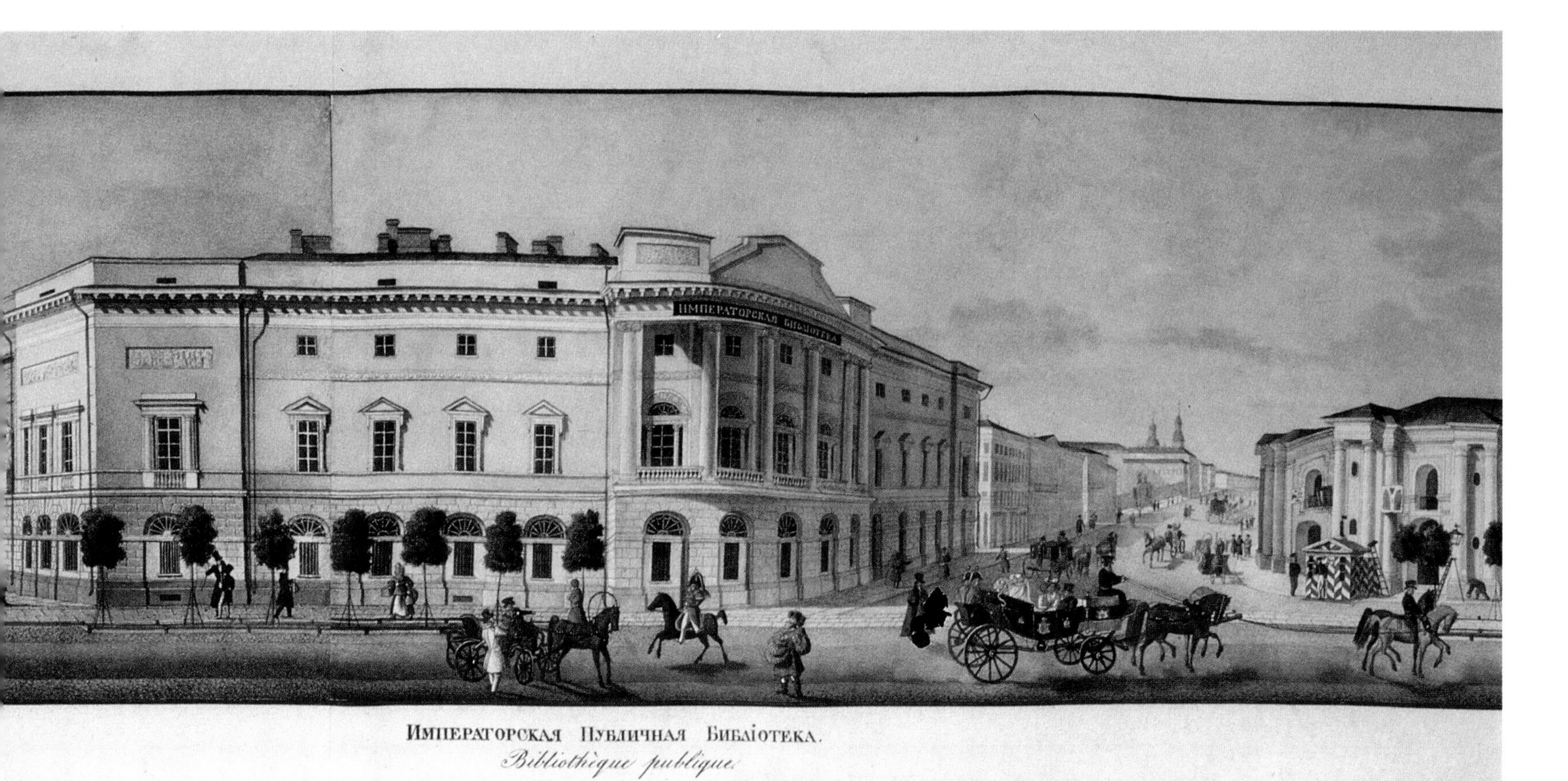

208. Панорама Невского проспекта, правая сторона. Фрагмент – Александринский театр и Публичная библиотека. Раскрашенная литография П. С. Иванова по рисунку В. С. Садовникова. 1835.

210. Угловой зал второго этажа Публичной библиотеки. Рисунок Г. Г. Чернецова. 1820-е гг.

211. Вид Александринского театра. Литография Ф.Шевалье. 1830-е гг.

212. Вид Гостиного двора на Невском проспекте.
Раскрашенная литография К. П. Беггрова по рисунку Е. И. Есакова. 1820-е гг.

213. Невский проспект у Городской думы. Гравюра Л. Тюмлинга. 1830-е гг.

214. Казанский собор, интерьер. Гравюра Л. Тюмлинга. 1830-е гг.

215. Казанский собор, интерьер. Картина неизвестного художника. 1830-е гг.

217. Угол Невского проспекта и набережной Мойки. Литография К. П. Беггрова по рисунку В. Форлопа. 1820-е гг.

216. Панорама Невского проспекта, правая сторона. Фрагмент – от Мойки до Большой Морской. Раскрашенная литография П. С. Иванова по рисунку В. С. Садовникова. 1835.

218. Картинная галерея Строгановского дворца. Картина Н. С. Никитина. 1832.

220. Костюмированный бал. Литография И. и Н. Вдовичевых. 1820-е гг.

219. Панорама Невского проспекта, левая сторона. Фрагмент – от костела св. Екатерины до дома Энгельгардта на углу Екатерининского канала. Раскрашенная литография И. А. Иванова по рисунку В. С. Садовникова. 1835.

221. Михайловская улица. Гравюра Л. Тюмлинга. 1830-е гг.

222. Бал у кн. М.Ф.Барятинской. Акварель Г.Г.Гагарина. 1830-е гг.

223. Михайловский дворец. Акварель К.П. Беггрова. 1832.

224. Михайловский дворец. Акварель К.П.Беггрова. 1832. Фрагмент.

226. В лавке А. Ф. Смирдина на Невском проспекте.
Рисунок А. П. Сапожникова. Эскиз титульного листа второй книги альманаха «Новоселье». 1833–1834.

225. Панорама Невского проспекта, левая сторона. Фрагмент – от Екатерининского канала до Большой Конюшенной улицы. Раскрашенная литография И. А. Иванова по рисунку В. С. Садовникова. 1835.

227. Торжественный обед у А. Ф. Смирдина по случаю переезда книжной лавки и библиотеки для чтения в новое помещение на Невском проспекте. Акварель А. П. Брюллова. Эскиз титульного листа первой книги альманаха «Новоселье». 1832–1833.

229. Вид от Невского проспекта на арку Главного штаба. Гравюра Л. Тюмлинга. 1830-е гг.

228. Панорама Невского проспекта, левая сторона. Фрагмент – от Большой Конюшенной улицы до кондитерской С. Вольфа и Т. Беранже. Раскрашенная литография И. А. Иванова по рисунку В. С. Садовникова. 1835.

230. Кондитерская С. Вольфа и Т. Беранже на углу Невского проспекта и набережной Мойки. Литография. 1830-е гг.

231. Вид Главного штаба со стороны Мойки. Литография К.П. Беггрова по рисунку В.С. Садовникова. 1830-е гг.

PUSHKIN'S ST. PETERSBURG

Примечания

Именной указатель художников

Топографический указатель

Список репродукций

List of illustrations

In 1831 the artist G. Chernetsov was commissioned to paint the ceremonial reviewing of the Guards at the Field of Mars in St. Petersburg. On an enormous canvas he painted orderly columns of infantry and cavalry, and in the foreground a crowd of spectators; more than two hundred inhabitants of St. Petersburg—people famed for their talent, deeds and rank. In the dense crowd it is not easy to pick out the modest figure of Pushkin. During his lifetime the poet was often pushed into the background by brilliant uniforms and smart clothes in the mixed society of worldly St. Petersburg. And probably those who were wearing these uniforms and smart clothes could not imagine that the times in which they were living (two decades of the Russian 19th century, from the mid 1810s to the mid 1830s) would bear the name of Pushkin's era to posterity. Or that this city in which they were living—the capital of the empire with its tsarist court, parades, civil servants and residents, in short all that was called St. Petersburg—would become known sometime as Pushkin's St. Petersburg . . .

When he founded a city on the delta of the Neva, Peter I "opened a window into Europe" to quote Pushkin. Having gained access to the Baltic, Russia established active trade with its neighbours. Ships were loaded with iron, timber, grain, flax, animal fats and hemp in St. Petersburg. They unloaded luxury articles such as textiles, wine, tea, coffee and sugar. Already within the first few decades of its existence the city became a very important trading and industrial centre of the country. Soon the word "Petersburgian" became the common term for people connected with business and trading activities.

Perhaps the most characteristic feature of St. Petersburg was the fact that it was mainly inhabited by visitors and strangers. At the beginning of the 19th century about half of the inhabitants of St. Petersburg were peasants who had come to the capital to earn a living—skilled craftsmen, small-scale traders, carriers, domestic servants. Tens of thousands of barge haulers and sailors arrived in this city on the Neva, which even in those days was connected to the Volga basin by canals. There were many foreigners in St. Petersburg. About 20 thousand Germans, several thousand Frenchmen, hundreds of Swedes and Englishmen lived there. As well as Finns, Tatars, Poles, Georgians, Bokharans, Persians and Indians. This variety of inhabitants did not come about by accident of course. From the Winter Palace on the bank of the Neva the Russian tsars ruled the empire, which stretched from Prussia in Europe to California in America. St. Petersburg was in fact founded so that the inhabitants of multinational Russia could meet with each other and with the inhabitants of other countries—both near and far.

According to Peter I the historic aim of the city was to represent Russia in Europe, and to be a representative of Europe in Russia—to unite Russia and Europe.

The first buildings of the future city arose along the Gulf of Finland, on land that was marshland; and the plan for the "New Amsterdam", which had been drafted by the architect J.-F. Leblond, lay already on Peter I's desk: the city to be geometrically divided by regular networks of canals and streets. The original plan was modified many times. For example, far from all the canals envisaged by Leblond's plan were dug and several of those that were dug were later filled in. But the unity of water and stone, the unity of austere and majestic architecture with the ripples of the canals, rivers and streams, which bring vivacity and variety to the city landscape, convey the harmony, which became the peculiarity of St. Petersburg. Digressions from Peter I's original plans did not mean renouncing the main principles of the planned building of the city.

St. Petersburg was almost the only European capital to be built according to plan. Not only single houses were constructed, but architects often planned and built whole squares and steets at once. The old city centre was a row of dazzling architectural ensembles, created by several generations of talented architects. These master-builders, conscious of performing a general task, were able to convey a surprising brilliance and wholeness to the appearance of the city.

The beauty and majesty of St. Petersburg's architecture corresponded to the wealth and power of the empire. The building constructions in St. Petersburg gained in scope especially after the victorious end to the 1812—1814 war.

This era saw a rise both in the state and social life of the country. Forward-thinking members of Russian society realized the necessity for decisive changes in the political and social reconstruction of the state. In drawing-rooms throughout the capital, they heatedly discussed the despotism of the tsar and expressed their indignation at serfdom, which was so disastrous for Russia. The sympathy of many of the noblemen, especially the younger ones, was with the oppressed and ruined Russian peasant.

In the mid 1810s a secret revolutionary society came into being in St. Petersburg. Its members, mainly Guards officers who had recently returned from battles abroad, made it their aim to destroy tsarist autocracy and serfdom in Russia. Free-thinking ideas were practised on a large scale, and controversial poetry, glorifying Freedom, circulated in countless hand-made copies; caustic epigrams about the tsar and his retinue circulated too. It was as the author of just such daring political poems and epigrams that Alexander Pushkin became known to a wide audience.

In 1817 Pushkin finished his studies at the Lyceum in Tsarskoe Selo and, together with his parents, took up residence in St. Petersburg in a house by the Kalinkin bridge on the Fontanka embankment. This 18-year old graduate of the Lyceum was enrolled as a translator in the Ministry of Foreign Affairs. He did not in fact do any work there, however, dividing his time between society pleasures and literature. His impressions of these first years in St. Petersburg were shortly afterwards reflected in his novel in verse "Eugene Onegin". In the words of the poet himself, the first chapter of the novel "contained a description of the high society life of a young man in St. Petersburg towards the end of 1819". In the stanzas of "Eugene Onegin", the living St. Petersburg is unfolded before us. Documents of the time provide us with thousands of highly varied pieces of information about the outward appearance and life of the city. Yet not one of these documents gives that almost tangible sensation of the reality of the St. Petersburg of those years, as does Pushkin's poetry. It is not the descriptions of St. Petersburg themselves, however accurately and vividly Pushkin drew the town scenes and the lives of the citizens, but the part the city played in the life of the characters of "Eugene Onegin" and in the life of the author himself, which repeatedly appears in the pages of his lyrical novel, and the poet's lively relationship with the city— this is what renders the city alive to us. This is why, when we speak of the St. Petersburg of that epoch, we immediately recall Pushkin's classical verse.

Even when the young poet was still studying at the Lyceum, his first poems compelled the literary world to speak of the appearance of a new genius. In late 1810s Pushkin wrote many lyrical poems and completed his first significant work—the poem "Ruslan and Ludmila". As for his political poems, thousands of handmade copies were instantaneously circulating not only throughout St. Petersburg, but also throughout the whole country. There was not an ensign, a young civil servant, a student nor even a shop assistant, who did not know at least a few lines of his seditious poems. In the spring of 1820 tsar Alexander I said to one of his courtiers in a temper: "Pushkin must be sent into exile in Siberia. He has flooded Russia with rebellious poems, and all the young people are learning them by heart." Exile in Siberia loomed over the young free-thinker, but thanks to the energetic intervention of influential friends, exile in the cold regions was changed to exile in the South of Russia. In May 1820 Pushkin was ordered to the town of Kishinev under the control of General Insov, Guardian of the settlers of the Southern region. After Kishinev came Odessa, then Mikhailovskoye . . .

Only seven years later did the poet return to St. Petersburg. During these years the city had changed very little outwardly. It had grown and had been adorned with magnificent new buildings. But the very spirit of life in St. Petersburg had become quite different, the whole political system had changed abruptly—both in the country and in the capital.

On the 14th of December 1825, an at once glorious and tragic event occured in the history of Russia. A handful of courageous patriots, members of the secret "Northern Society" rose in arms against despotism and slavery in the Senate Square, St. Petersburg. The revolutionaries gained the support of several Guards regiments. A large part of the capital's population sympathised with the rebels. But emperor Nicholas I, who acceded to the throne that very day, managed to move up the troops loyal to the Government and to smash the uprising. Five of the Decembrists—as those first Russian revolutionaries came to be called—were executed. Several hundred people were imprisoned or exiled with penal servitude.

Thus began the new reign and the second period in the history of Pushkin's St. Petersburg.

The St. Petersburg of the young Pushkin was a town of great expectations, that of the mature Pushkin—one of disappointment. In the former, the enthusiastic impulses of the dreamer, in the latter, the sober, shrewd glance of the sage. In the one, a festive expectancy, a dream of great changes. In the other, dreary monotony, tedious bustle, sometimes amusing, sometimes absurd. Everyday "lowly" life in the eyes of the poet, however, acquires unexpected, fantastic features. Because, for the Pushkin of the 1830s, the trivial and at first glance meaningless existence of the most insignificant "little" people is just as much an expression of that important phenomenon which determines the fate of peoples and states, known as the "historic process", as are great events and the deeds of great men.

The biography of a "little"man in relation to historical process is the theme of Pushkin's poem "The Bronze Horseman", one of the greatest creations of Russian literature. The poem tells us of the catastrophic St. Petersburg flood of 1824. For the town built on the low-lying shores of the Gulf of Finland, floods were in those days a terrible disaster, always bringing destruction, and often even death. When Peter I founded his new capital, he knew that the place he had chosen to build the town would be inundated almost every autumn. But concern for the comfort and safety of future inhabitants of St. Petersburg took second place to the need for Russia to have a port, a fortress town at the navigable mouth of the Neva. The tsar's action, which played such an important part in the country's history, turns into a human tragedy for an obscure, impoverished official, the hero of Pushkin's "Bronze Horseman": his fiancee perishes in the raging torrent of the Neva. The official loses his reason, and in a fit of audacious folly, "seized by a dark force", he throws out a challenge to tsar Peter himself, the founder of St. Petersburg, whose bronze image—the majestic statue on a granite rock—towers up on the bank of the Neva. And through the dark streets of the city the huge bronze horseman follows the unhappy madman with a "heavily ringing" thud of hooves . . .

In "The Bronze Horseman" Pushkin glorifies St. Petersburg as a symbol of the new Russia. And at the same time the poet is able to discern behind the life of the city, the complexity and tragic inner contradictions of history.

The St. Petersburg of the early 19th century is found imprinted—and imprinted forever—in Pushkin's "The Bronze Horseman", "Eugene Onegin", "The Cottage in Kolomna", "Queen of Spades" and other works.

For us this conception of Pushkin's St. Petersburg is linked just as much with the person of the poet as with his creative work.

Pushkin was not only a great poet. He was a founder of a new Russian culture and vividly embodied this culture in his works. Pushkin not only inspired poetry, but a new literary language, a new way of thinking and attitude to life, a new vital truth. Pushkin was the centre of the spiritual life of the times. This found expression in the unparalleled popularity he enjoyed among his contemporaries. Recalling the 1830s I. S. Turgenev writes: "At that time Pushkin was for me, as for many people of my age, something of a demigod. We really worshipped him."

If we were to try and outine Pushkin's circle of acquaintances in the Russian cultural world of that time, we would have to mention all the prominent writers of the era, including Zhukovsky, Krylov, Griboyedov and Gogol. We would have to mention the name of the great Russian composer Glinka, the eminent Russian artist Bryullov, the famous actor Shchepkin, the inventor of the electromagnetic telegraph the physicist Schilling, and dozens more famous names.

It is not only the Russian writers of Pushkin's time, but also the musicians, artists and actors, who talked about the enormous influence exerted over them by Pushkin's poetry and by personal contacts with him. One can say without exaggeration that everything, in any way connected with Pushkin, that had been preserved from the culture of that period, is alive for the eras and generations that follow.

Pushkin spent the last years of his life almost entirely in the capital on the Neva.

In 1831 Pushkin undertook the task of writing the history of Peter I's reign. The Emperor granted a salary and opened up the state archives for him. In 1833 Nicholas I conferred court rank on Pushkin . . .

A court career, however, by no means attracted Pushkin. The supreme Russian poet's fame, plus his status as a highborn Russian nobleman, gave Pushkin—almost him alone in St. Petersburg, and even in the whole of Russia—the opportunity to turn to the tsar with open and urgent political recommendations, to appeal both in his poems and in personal conversations. At the beginning of Nicholas I's reign Pushkin believed that the young emperor was ready to follow Peter the Great's path and to bring about important reforms in the social and administrative life of the country. And the poet considered himself obliged to take the part of the tsar's adviser. Several years passed, however, and Pushkin, who had believed in a new hoped-for tsar-reformer, found himself disillusioned and disappointed. His position at the tsar's court became complicated. Pushkin's hatered towards the court grovellers and the envious hostility of the wordly rabble to the audacious and mocking poet inevitably led to open conflict. And this conflict turned out to be tragic.

On January 27th, 1837, Pushkin fought a duel with Baron Dantes-Hekkeren and was fatally wounded. On January 29th Pushkin died.

The poet's death rocked St. Petersburg.

In the words of one of his contemporaries: "All St. Petersburg was startled. An unusual movement started in the city. On the Moika, at the Pevchesky Bridge (at that time Pushkin had been living on the first floor of an ancient house belonging to Princess Volkonskaya) there was no way through for pedestrians and carriages. Crowds of people and carriages beseiged the house from morning till night; cab drivers were hired and told simply: "To Pushkin", and they drove straight there. People in St. Petersburg from all walks of life even illiterate people considered it their duty to pay their respects to the dead poet. This was like a national demonstration, like public opinion which had suddenly come to life again".

Pushkin, through his work, his life and his death, was closely linked with St. Petersburg. The tears of thousands upon thousands of unknown people at the poet's coffin told everyone with more conviction than any words could express what Pushkin meant to this city, which today is habitually and justly called "Pushkin's St. Petersburg".

To create today a concrete picture of Pushkin's St. Petersburg, it is most important to acquaint oneself with the numerous portrayals left to us by the painters and graphic artists of the times.

Interest in depicting St. Petersburg grew with the city itself and after the masterly works of M. Makhaev and the engravings based on his drawings in the mid 18th century there were even more portrayals of the young capital, and depictions of town life appeared all the more frequently in the architectural landscape.

St. Petersburg was depicted in particular in the Pushkin times, during the first decades of the 19th century, when, through the talent of such prominent architects as Zakharov, Quarenghi, Voronikhin, Montferrand, Stasov, Rossi and others, and the work of thousands of unknown craftsmen, it became one of the most beautiful cities in the world. After the triumphant conclusion of the Patriotic war its importance as the centre of the vast country's political, economic and cultural life grew more than ever.

The artist's attention was drawn more than ever to St. Petersburg's architecture, inhabitants and events. On commission or from pure love of the subject, St. Petersburg's painters and graphic artists took it upon themselves to immortalize the features of the Northern capital for posterity. Dozens of craftsmen gave a considerable amount of time to this job, and thus a distinctive portrait of the city was built up.

This was put together from portrayals of various nooks of St. Petersburg on the one hand, and particularly remarkable buildings on the other, and of entire districts and streets—large scale panoramas: typical citizens, street scenes, official celebrations, natural calamities, and ordinary rooms with domestic utensils.

Amongst those it is not hard to find nearly all the places where Pushkin lived, took part in literary debates, spent his time, visiting friends, fashionable salons, theatres, libraries, archives, bookshops, art exhibitions, well known from the scenes of his poetry and prose.

Between 1800 and 1820, noted Russian painters such as F. Alekseyev, M. Vorobyov, B. Paterssen, Silv. Shchedrin, Sem. Shchedrin and A. Martynov dedicated many of their better works to St. Petersburg. They sought to reproduce the beauty of the Neva embankments, the islands and the architectural ensembles, as well as the characteristic features of the capital's inhabitants, belonging to various walks of life.

Numerous drawings and engravings by I. Ivanov, I. Terebenev, M.-F. Demame-Demartrait, A. Tozelli, S. Galaktionov, I.-V.-G. Bart, many of which were coloured, correspond to this period. These artists took as their subjects such important events as, for example, the return of St. Petersburg people's volunteer corps in 1814, as well as the urban landscape and everyday street scenes in the capital. The engravings from the drawings by Demame-Demartrait were compiled into albums and published in Paris in 1812, and in London in 1815. Over thirty engravings by S. Galaktionov and I. Chesky from P. Svinyin's drawings illustrated his "Views of St. Petersburg" (1816—1828).

With the rapid development of lithography in the late 1810s and the early 1820s, the number of works of art portraying St. Petersburg rises considerably, becoming more accessible to a wider audience. In about 1820, A. Martynov creates a vast series of coloured lithographs (approximately 100 sheets), in which certain districts of the capital are depicted—not only the city centre, but also the outlying Kolomna areas, the embankments of the Fontanka and the Moika, which attached Pushkin's attention (in his poem "The Cottage in Kolomna" and others). A. Martynov's lithographs are occasionally somewhat naive, but appeal through their ingeniousness and authenticity. At the same time as A. Martynov, A. Orlovsky drew his scenes of life in the capital, primarily of the life-style of common folk, peasants, cubmen and street peddlars, but sometimes of stylish dandies or dashing Guards officers. Reproduced in lithograph form by himself or other lithographers, these drawings acquired a hitherto unprecedented popularity. Their distinguishing characteristics: a high degree of technical skill, natural realism and national originality, were greatly valued by his contemporaries. Pushkin considered them to be "wonderful".

The lithographical work "Collection of views of St. Petersburg and its vicinity" which was produced by the Society for the Encouragement of Artists, might rival A. Orlovsky's sheets for popularity. The twenty four foolscap sheets (six four-leafed books) which comprised the first edition of "Views" (1821—1823), were implemented by the painters and lithographers S. Galaktionov, A. Bryullov, K. Beggrov, K. Sabath, S. Shiflyar and others. They rendered the peculiarities of the "elegant" and the "austere" architectural appearance of St. Petersburg, the peculiarities of its embankments, squares, prospekts and the everyday life of the varied and colourful crowds, that filled these same squares and prospekts, with equal interest, delicate and original skill.

Everything that happened in the streets of the capital, attracted the artist's interest and attention. The warm reception which the first edition of "Views" enjoyed resulted in the publication, a few years later, of a second edition, which consisted of twenty-one lithographs by K. Beggrov, generally from the drawings by K. Sabath and S. Shiflyar.

The numerous views of St. Petersburg in the lithography of the mid 1820s by P. Alexandrov, K. Kollmann and others from various originals, were included in the publisher A. Plushard's album but were overtaken in skill and expressiveness, by the work of S. Galaktionov, A. Bryullov and K. Beggrov; however, they showed the city to be very wide, varied and trustworthy, which determined their historical value. The views were also very popular with their contemporaries and circulated not only in albums, but also separately. Amongst the artistic documents of the epoch, portrayals of events, such as the flood in St. Petersburg on November 7th, 1824 or the uprising of December 14th, 1825 in the Senate Square by eyewitnesses are of special historical value. Drawings from life by F. Alekseyev, G. Chernetsov and S. Galaktionov from a significant authentic commentary to the description of the 1824 flood in Pushkin's "Bronze Horseman". A small water-colour by K. Kollmann is the sole piece of evidence by a contemporary artist concerning the events of December 14th, 1825.

The first quarter of the 19th century was a time when Russian art achieved great success in the portrayal of St. Petersburg. The decade that followed was not so rich in works on this subject. The pictures, drawings, engravings and lithographs of the 1830s are, for the most part, not so poetic or ingenious—they are drier, colder and more official. The atmosphere of political reaction which, after the suppression of the Decembrist uprising and the accession of Nicholas I, superseded the social upheaval of the beginning of the century, could not but have an effect on the art of the time.

However, at this time, St. Petersburg continued to attract the attention of painters and graphic artists; the best of their works still maintain an undeniable artistic and documentary value.

One such work is G. Chernetsov's monumental canvas "Reviewing of the Guards at Tsaritsyn Lug" (1831—1837). Although this work was commissioned by the tsar, the artist did not confine himself to illustrating "a host of infantry and horses". In the foreground he depicted an enormous crowd of spectators who, in essence, represented a collective portrait of the inhabitants of St. Petersburg. The most prominent artists, actors and writers were portrayed here with documentary exactness.

In the early 1830s, G. Chernetsov drew a panorama of the Palace Square and the streets leading to it from the scaffolding of the Alexander Column, which was then under construction.

Panoramas of a different type were drawn by K. Hampeln and V. Sadovnikov, K. Hampeln's huge panorama depicts with surprising animation and satirical sharpness the inhabitants of the city from every walk of life on the occasion of the traditional Mayday public outdoor festival at Ekaterinhoff. V. Sadovnikov's panorama (P. Ivanov's lithograph) is devoted to the capital's main thoroughfare, the Nevsky prospekt. As well as reproducing both sides of the Nevsky with documentary exactness, house by house, in every detail, the 11 metre long canvas also reproduces what goes on in front of these houses, on the pavement and in the road. The only one its kind, this is a unique work of art.

In the mid 1830s, V. Sadovnikov, P. Ivanov and K. Beggrov produced an album of lithographed views of St. Petersburg, depicting the new trend in the city's architecture at the time; the new Senate and Synod buildings in the Senate Square, the new steps down the Neva by the Academy of Arts, flanked by its two sphinxes, the new triumphal metal gates on the road to Peterhoff and the new three-span iron bridge by Tsaritsyn Lug.

The iron 19th century announces itself in no uncertain manner by the appearance of the first iron bridge, railway, steam engines and ships in paintings and engravings. The construction of such impressive buildings as St. Isaac's Cathedral and Alexander Column was recorded in watercolours and lithographs by A. Montferrand, G. Gagarin and others.

Two other series of engravings that came out in the mid 1830s must also be mentioned. One, by Gaubert, Frommel and others from the drawings by A. Gornostayev for A. Bashutsky's "Panorama of St. Petersburg" is particularly valuable because of the variety of subjects included. The other, which was engraved by L. Tyumling from an original work, probably also for publication in some form, is now very little known.

In the late 1830s and early 1840s F. V. Perrot and A. Durand produced lithographs which are interesting, apart from the undoubted artistic achievement, because of the very close attention pain by the artists to the less showy corners of the capital.

Finally, the works of St. Petersburg painters and graphic artists of the 1830s which enable us to see inside the capital's buildings, deserve special mention. These are the "Military Gallery in the Winter Palace" by G. Chernetsov and S. Alekseyev, the "Hermitage Library" by A. Tyranov, the "Antique Hall of the Academy of Arts" by G. Mikhailov, and the "Picture Gallery in the Stroganov Palace" by N. Nikitin, "Ball, Given by Princess Baryatinskaya" by G. Gagarin, and "Fancy Dress Ball in Engelgardt's House" by I. Vdovichev and N. Vdovichev, "The Writers' Meeting at V. A. Zhukovsky's" by the pupils of A. Venetsianov, and "House-warming at Smirdin's" by A. Bryullov . . .

The present album includes 231 reproductions of paintings, drawings, engravings and lithographs created by the artists of St. Petersburg from 1800 to the beginning of the 1820s and from the end of the 1820s to the late 1830s. Many have never had reproductions made of them.

Together these collections, the fullest of their kind, represent an interesting page in the history of Russian fine arts Within them Pushkin's contemporaries provide a unique illustration of Pushkin's St. Petersburg and of the poet himself. They enable us to look back into the past to that remarkable era, made immortal by the name of the greatest Russian poet.

A. Gordin

ПРИМЕЧАНИЯ

1800–1820-е годы

С. 11. *«Где ум кипит, где в мыслях волен я . . .»* – А.С. П у ш к и н. Послание к кн. Горчакову. Полн. собр. соч. в 10-ти т. Т.1. М.–Л., Изд-во АН СССР, 1949, с. 370. В дальнейшем все цитаты из сочинений Пушкина, кроме особо оговоренных, приводятся по этому изданию.

С. 11. *«Город пышный, город бедный . . .»* – А.С. П у ш к и н. Т.3, с.77.

С. 12. *«Параша (так звалась красотка наша) . . .»* – А.С. П у ш к и н. Домик в Коломне. Т.4, с. 327, 333.

С. 13. *Между тем простой народ на улице жил . . .* – См.: А.И. К о п а н е в. Население Петербурга в первой половине XIX века. М. – Л., Изд-во АН СССР, 1957.

С. 13. *«Российский простой народ . . .»* – И.Г. Г е о р г и. Описание российско-императорского столичного города Санкт-Петербурга и достопамятностей в окрестностях оного. Спб., 1794, с. 652.

С. 13. *Жизнь в Петербурге для пришлого мужика . . .* – См.: А.И. К о п а н е в. Население Петербурга, с.70–85; А.Г. Я ц е в и ч. Крепостной Петербург пушкинского времени. Л., Пушкинское общество, 1931, с. 102–104.

С. 14. *«Все, чем для прихоти обильной . . .»* – А.С. П у ш к и н. Евгений Онегин. Т.5, с.19.

С. 14. *На многолюдных, поражавших разнообразием типов и костюмов петербургских улицах . . .* – См.: Волшебный фонарь, или Зрелище с.-петербургских расхожих продавцов, мастеров и других простонародных промышленников, изображенных верною кистью в настоящем их наряде и представленных разговаривающими друг с другом, соответственно каждому лицу и званию. Ежемесячное издание на 1817 год. Спб., 1817.

С. 14. *«Извозчичьи экипажи в С.-Петербурге . . .»* – Путешествие в Петербурге аббата Жорделя в царствование императора Павла I. М., 1913, с.124.

С. 15. *«Столярное мастерство и продажа молока . . .»* – И. П у ш к а р е в. Описание Санкт-Петербурга и уездных городов С.-Петербургской губернии. Ч.1. Спб., 1839, с.49.

С. 15. *И крупный, и мелкий рогатый скот держали жители всех районов Петербурга . . .* – См.: Статистическая табель столичного города Санкт-Петербурга за 1815 год. Центральный государственный исторический архив СССР в Ленинграде (ЦГИА СССР), ф.994, оп.2, № 171.

С. 15. *«Что ж мой Онегин? Полусонный . . .»* – А.С. П у ш к и н. Евгений Онегин. Т.5, с.25.

С. 16. *«Не всегда должно пренебрегать народными сказками . . .»* – Дневные записки В.Н. Каразина. Центральный государственный архив литературы и искусства (ЦГАЛИ), ф.1409, оп.1, д.3245.

С. 16. *«Прошло сто лет, и юный град . . .»* – А.С. П у ш к и н. Медный всадник, Т.4, с.378, 379.

С. 16. *«Люблю тебя, Петра творенье . . .»* – Т а м ж е, с.379.

С. 17. *«Люблю воинственную живость . . .»* – Т а м ж е, с.380.

С. 17. *«Кто станет отрицать . . .»* – Дневные записки В.Н. Каразина.

С. 18. *«Необычайная тишина, осанка . . .»* – С. Г у л е в и ч. История лейб-гвардии Финляндского полка. 1805–1806. Ч.1. Спб., 1906, с.367.

С. 18. *«Вчера у нас был разговор . . .»* – Дневные записки В.Н. Каразина.

С. 19. *«Всей России притеснитель . . .»* – А.С. П у ш к и н. На Аракчеева. Т.1, с.399.

С. 20. *«. . . Во время ученья . . .»* – С. Ш т р а й х. Восстание Семеновского полка в 1820 году. Пг., Государственное издательство, 1920, с.16.

С. 20. *«Куда вы?»* спрашивали встречные . . .» – А.И. Тургенев – П.А. Вяземскому 20 октября 1820 г. Остафьевский архив князей Вяземских. Т. 2. Переписка князя П.А. Вяземского с А.И. Тургеневым. 1820–1823. Спб., 1899, с. 90.

С. 20. *«Мы тогда жили точно на биваках . . .»* – М.В. Н е ч к и н а. Движение декабристов. Т.1. М., Изд-во АН СССР, 1955, с. 310.

С. 20. *«Москва девичья, а Петербург прихожая»*. – А.С. П у ш к и н. Отрывки из писем, мысли и замечания. Т. 7, с. 61.

С. 21. *«После восьми часов . . .»* – А.П. Б а ш у ц к и й. Панорама Санкт-Петербурга. Ч. 3. Спб., 1834, с. 82.

С. 21. *«. . . Закон постановлю на место вам Горголи . . .»* А.С. П у ш к и н. Сказки. Noёl. Т. 1, с. 334, 335.

С. 22. *«. . . а насчет дел . . .»* – Дневник Варвары Петровны Шереметевой, урожденной Алмазовой. 1825–1826. Из архива Б.С. Шереметева. М., 1916, с. 20.

С. 22. *«Мы очутилися в Париже . . .»* – А.С. П у ш к и н. Евгений Онегин. Т. 5, с. 209.

С. 23. *«Похлопочи, чтоб тебя перевели . . .»* – С.П. Ж и х а р е в. Записки современника. М. – Л., Изд-во АН СССР, 1955, с. 294.

С. 23. *«хитрости рукой . . .»* – А.С. П у ш к и н. Послание В.Л.Пушкину. Т. 1, с. 456.

С. 23. *«Воспитанный под барабаном . . .»* – А.С. П у ш к и н. На Александра I. Т. 2, с. 364.

С. 23. *«Левый берег Фонтанки . . .»* – А.П. Б а ш у ц к и й. Панорама Санкт-Петербурга. Ч. 3, с. 139.

С. 24. *«. . . мяуканье котов . . .»* – А.С. П у ш к и н. Домик в Коломне. Т. 4, с. 328.

С. 25. *Так, из 45 бриллиантщиков . . .* – См.: Статистическая табель столичного города Санкт-Петербурга за 1815 год.

С. 25. *«В 8 часов опять начала одеваться . . .»* – Дневник В.П. Шереметевой, с. 48, 76.

С. 26. *«суету столицы праздной»*. – А.С. П у ш к и н. N.N. (В.В. Энгельгардту). Т. 1, с. 345.

С. 26. *«. . . Евгений, Боясь ревнивых осуждений . . .»* – А.С. П у ш к и н. Евгений Онегин, Т. 5, с. 20.

С. 26. *«Мы приехали, когда было еще мало народу . . .»* – Дневник В.П. Шереметевой, с. 88–90.

С. 27. *«Во дни веселий и желаний . . . »* – А.С. П у ш к и н. Евгений Онегин. Т. 5, с. 22.

С. 27. *«Первая глава представляет нечто целое . . .»* – Т а м ж е, с. 509.

С. 27. *«Дом ее, на Большой Миллионной . . .»* – П.А. В я з е м с к и й. Полн. собр. соч. Т. 8. Спб., изд. гр. С.Д. Шереметева, 1883, с. 380.

С. 27. *«Где ум хранит невольное молчанье . . .»* – А.С. П у ш к и н. Послание к кн. Горчакову. Т. 1, с. 370.

С. 28. *«. . . глупые люди . . .»* – В.Г. Б а з а н о в. Вольное общество любителей российской словесности. Петрозаводск, Государственное издательство Карело-Финской ССР, 1949, с.105.

С. 28. *«Необдуманные речи . . .»* – А.С. П у ш к и н. Черновое письмо Александру I. Т.10, с. 784 (перевод).

С. 28. *«Я помню их, детей самолюбивых . . .»* – А.С. П у ш к и н. Послание к кн. Горчакову. Т.1, с. 370.

С. 28. *«Мне очень нравилось бывать в доме Олениных . . .»* – А. П. К е р н. Воспоминания. М., 1974, с. 29.

С. 29. *«Список всех людей, которым помог Тургенев . . .»* – П. А. В я з е м с к и й. Т. 8, с. 281.

С. 30. *«. . . За два неявления . . .»* – Арзамас и арзамасские протоколы. Л., Изд-во писателей в Ленинграде, 1933, с. 87, 88.

С. 31. *«Увы! куда ни брошу взор . . .»* – А. С. П у ш к и н. Вольность. Т. 1, с. 314.

С. 31–32. *«Со сна идет к окну сенатор . . .»* – А. С. П у ш к и н. Медный всадник. Т. 4, с. 522.

С. 32. *«Осада! приступ! злые волны . . .»* – Т а м ж е, с. 385.

С. 32. О петербургских наводнениях см.: В. Г о л а н т. Укрощение строптивой. Л., Гидрометеоиздат, 1986, с. 37, 41 и следующие.

С. 33. *«Подхожу к окошку . . .»* – А. С. Г р и б о е д о в. Частные случаи петербургского наводнения. Соч. в 2-х т. Т. 2. М., изд-во «Правда», 1971, с. 61, 62.

С. 33. *«Моллер был в отчаянии . . .»* – Записки декабриста Д. И. Завалишина. Спб., 1906, с. 83.

С. 34. *«Закрытие феатра и запрещение балов . . .»* – Пушкин – Л. С. Пушкину и О. С. Пушкиной 4 декабря 1824 г. – А. С. П у ш к и н. Т. 10, с. 113, 114.

С. 34. *«Еще обедала у Гуго . . .»* – И. Ф. Р ы б а к о в. Тайная полиция в «семеновские дни» 1820 г. «Былое», 1925, № 2.

С. 34. *«. . . здесь в Петербурге я слышал . . .»* – Дневные записки В. Н. Каразина.

С. 35. *«. . . Вольное общество любителей российской словесности . . .»* – Ф. Ш р е д е р. Новейший путеводитель по С.-Петербургу. Спб., 1820, с. 165, 166.

С. 35. В. Н. К а р а з и н. Об ученых обществах и периодических сочинениях в России. – В кн.: Сочинения, письма и бумаги В. Н. Каразина. Харьков, изд. Харьковского университета, 1910, с. 569.

С. 36. *« – Скажите, неужель впрямь . . .»* – Дело о рассмотрении в комиссии бумаг, найденных в кабинете покойного государя. ЦГИА, ф. 48, ед. хр. 12, л. 80–85.

С. 36. В одном только Петербурге было около тысячи полицейских чинов . . . – См.: Очерки истории Ленинграда. Т. 1. М. – Л., Изд-во АН СССР, 1955, с. 602, 603.

С. 36. Министр и царь по словам Каразина, захотели убедиться . . . – См.: В. Г. Б а з а н о в. Вольное общество любителей российской словесности, с. 177, 178.

С. 36. *«называли сочлена своего клеветником . . .»* – Т а м ж е , с. 169.

С. 36–37. *«. . . Я сказал ему . . .»* – Ф. Н. Г л и н к а. Удаление А. С. Пушкина из С.-Петербурга в 1820 году. – Русский архив, 1866, № 6, с. 918–922.

С. 37. *«О Дельвиг! Дельвиг! что гоненья?. .»* – В. К. К ю х е л ь б е к е р. Избр. произв. в 2-х т. Т. 1. М. – Л., «Советский писатель», 1967, с. 133 (Библиотека поэта. Большая серия).

С. 37. *«. . . поелику эта пьеса была читана . . .»* – Цит. по: В. Г. Б а з а н о в. Вольное общество любителей российской словесности, с. 179.

С. 37. *«горели и точно искрились . . .»* – А. В. Н и к и т е н к о. Моя повесть о самом себе и о том, «чему свидетель в жизни был». Записки и дневник (1804–1877 гг.). Изд. 2. Т. 1, 1904, с. 126.

С. 37–38. *«О, пусть не буду в гимнах я . . .»* – К. Ф. Р ы л е е в. Державин. Стихотворения. Л., «Советский писатель», 1956, с. 232 (Библиотека поэта. Малая серия. Изд. 3).

С. 38. Александр Бестужев рассказывал, что в 1822 году «свел свое знакомство с г. Рылеевым . . .» – Восстание декабристов. Материалы. Т. 1. ГИЗ, 1925, с. 433.

С. 38. *«Как часто летнею порою . . .»* – А. С. П у ш к и н. Евгений Онегин. Т. 5, с. 29, 30.

С. 38–39. *«Перед померкшими домами . . .»* Т а м ж е, с. 21.

С. 40. *«Витийством резким знамениты . . .»* – Т а м ж е, с. 212.

С. 40. *«Средство достижения цели . . .»* – М. В. Н е ч к и н а. Движение декабристов. Т. 1, с. 194.

С. 40–41. *«Для показания за образец . . .»* – Т а м ж е, с. 226.

С. 41. *«Насчет глупца, вельможи злого . . .»* – А. С. П у ш к и н. N.N. (В. В. Энгельгардту). Т. 1, с. 346.

С. 42. *«Мне казалось, что я среди . . .»* – А. Д. У л ы б ы ш е в. Сон. – В кн.: Декабристы. М. – Л., ГИХЛ, 1954, с. 563–566.

С. 43. «Пусть паду я . . .» – Девятнадцатый век. Кн. 1. М., 1972, с. 334.

С. 43. *«Клянемся честью и Черновым . . .»* – В. К. К ю х е л ь б е к е р. Т. 1, с. 207.

С. 43. *«Прислонясь к дереву, я с голосистых певцов . . .»* – А. С. Г р и б о е д о в. Т. 2, с. 406.

С. 45. *«Полу-фанатик, полу-плут . . .»* – А. С. П у ш к и н. На Фотия. Т. 2, с. 379.

С. 45. *«Волшебный край»! там в стары годы . . .»* – А. С. П у ш к и н. Евгений Онегин. Т. 5, с. 16.

С. 45. *«Шаховской . . . мне сказывал . . .»* – В. Л. Пушкин – П. А. Вяземскому. – Цит. по: М. А. Ц я в л о в с к и й . Летопись жизни и творчества А. С. Пушкина, Т. 1. М., Изд-во АН СССР, с. 170.

С. 46. *«Я видела сегодня княгиню Куракину . . .»* – Дневник В. П. Шереметевой, с. 50.

С. 46. *«Значительная часть нашего партера . . .»* – А. С. П у ш к и н. Мои замечания об русском театре. Т. 7, с. 8, 9.

С. 46. *«Театра злой законодатель . . .»* – А. С. П у ш к и н. Евгений Онегин. Т. 5, с. 15, 16.

С. 46. «царица трагической сцены . . .» – А. С. П у ш к и н. Мои замечания о русском театре. Т. 7, с. 8, 9.

С. 47. *Мы вспоминаем о ней, когда видим на Сенатской площади Александра Бестужева . . .* – См.: М. В. Н е ч к и н а. Движение декабристов. Т. 2, с. 272.

С. 48. *«Чем далее отходил я от Адмиралтейства . . .»* – Т а м ж е, с. 287.

С. 48. *«Чернь с дерзостью, кидая шапки вверх, кричала «ура» . . .* – Т а м ж е, с. 293, 294.

С. 48. *«Доброе дело, господа» . . .* – Записки декабриста Д. И. Завалишина, с. 199.

С. 48. *Пришел на площадь И. А. Крылов . . .* – См.: Запись М. Е. Лобанова. Отдел рукописей Государственной Публичной библиотеки им. М. Е. Салтыкова-Щедрина в Ленинграде. Архив П. Тихонова, собрание М. Лобанова, № 787, папка 1, л. 62, 63 об.

С. 49. *«Камней пять-шесть упало к моим ногам . . .»* – Письма Н. М. Карамзина к И. И. Дмитриеву. Спб., 1866, с. 411.

С. 49–50. *«В 7 часов вечера я отправился домой . . .»* – М. В. Н е ч к и н а. Движение декабристов. Т. 2, с. 337.

1820–1830-е годы

С. 159. *«В первой четверти* XIX *века население Петербурга увеличилось более чем вдвое . . .»* – См.: А. И. К о п а н е в. Население Петербурга, с. 15. Ср.: Журнал министерства внутренних дел. Ч. 15. 1835, с. 165.

С. 159. *«Красуйся, град Петров, и стой . . .»* – А. С. П у ш к и н. Медный всадник. Т. 4, с. 380.

С. 159. *«Город пышный, город бедный . . .»* А. С. П у ш к и н. Т. 3, с. 77.

С. 159–160. *«Тишина в ней необыкновенная . . .»* – Н. В. Г о г о л ь. Полн. собр. соч. Т. 20. Изд-во АН СССР, 1940, с. 139.

С. 160. *«. . . домой пришед, Евгений . . .»* – А. С. П у ш к и н. Медный всадник. Т. 4, с. 383.

С. 161. *«О мощный властелин судьбы!. .»* – Т а м ж е, с. 393.

С. 161. *«Добро, строитель чудотворный!. .»* – Т а м ж е.

С. 161. *«В Петербурге, где большая часть населения . . .»* – И. П у ш к а р е в. Описание Санкт-Петербурга. Ч. 1, с. 64.

С. 161–162. *«Не дай мне бог сойти с ума . . .»* – А. С. П у ш к и н. Т. 3, с. 266.

С. 162. *«Германн сошел с ума . . .»* – А.С. П у ш к и н. Пиковая дама. Т. 6, с. 355.

С. 162. *«. . . сойди с ума . . .»* – А.С. П у ш к и н. Т. 3, с. 266, 267.

С. 163. *«События 14-го декабря . . .»* – Цит. по: Мих. Л е м к е. Николаевские жандармы и литература 1826–1855 гг. По подлинным делам Третьего отделения С. Е. И. В. канцелярии. Спб., 1908, с.12.

С. 163. *В делах Третьего отделения . . .* – См.: И. М. Т р о ц к и й. Третье отделение при Николае I. М., Изд-во Всесоюзного о-ва политкаторжан и сс.-поселенцев, 1930.

С. 163–164. *«В первом часу дня . . .»* – Эпоха Николая I. Под. ред. М. О. Гершензона. Московское книгоиздательское товарищество «Образование», 1910, с. 20.

С. 164. *«. . . Сегодня Николай Павлович . . .»* – А.В. Н и к и т е н к о. Дневник в 3-х т. Т. 1. ГИХЛ, 1955, с. 129.

С. 164. *«в отношении к внешнему порядку столицы . . .»* – Эпоха Николая I, с. 29.

С. 165. *«зияющей бездной всевозможных мерзостей . . .»* – Там же, с. 31.

С. 166. *«Кто-то сказал о государе . . .»* – А.С. П у ш к и н. Дневник. Т. 8, с. 52, 562.

С. 166. *«. . . Никто на свете не был мне ближе Дельвига . . .»* – Пушкин – П. А. Плетневу 21 января и 31 января 1831 г. – А.С. П у ш к и н. Т.10, с. 334, 336.

С. 167. *«соединял в себе все качества . . .»* – А.П. К е р н. Воспоминания, с. 49.

С. 167. *«Хвостова кипа тут лежала . . .»* – Т а м ж е, с. 51.

С. 167. *«Каждый день после обеда . . .»* – П.А. В я з е м с к и й. Записные книжки (1813–1848). М., Изд-во АН СССР, 1963, с. 173.

С. 167. *«До рассвета поднявшись, извозчика взял . . .»* – А.А. Д е л ь в и г. Полн. собр. стихотворений. Изд-во писателей в Ленинграде. 1934, с. 343 (Библиотека поэта. Большая серия).

С. 168. *«Летом того же 1828 года . . .»* – М. Г л и н к а. Записки. Л., Музгиз, 1953, с. 62, 63.

С. 168. *«. . . Такой мягкости и плавности . . .»* – А.П. К е р н. Воспоминания, с. 57.

С. 168. *«быстро пробежал через двор . . .»* – Т а м ж е, с. 45.

С. 169. *«Граф Бенкендорф в весьма грубых выражениях . . .»* – А.И. Д е л ь в и г. Воспоминания. Полвека русской жизни. 1820–1870. Т. 1. М.–Л. «Academia», 1930, с. 155, 156.

С. 169. *«Грязные фонарщики . . .»* – А.П. Б а ш у ц к и й. Панорама Санкт-Петербурга. Ч. 3, с. 93.

С. 169–170. *«После несчастного происшествия 14 декабря . . .»* – Цит. по: Б.Л. М о д з а л е в с к и й. Пушкин под тайным надзором. Изд. 3. «Атеней», 1925, с. 68, 69.

С. 170. *«Не мысля гордый свет забавить . . .»* – А.С. П у ш к и н. Евгений Онегин. Т. 5, с. 7.

С. 170. *«Я имел счастье . . .»* – Пушкин и его современники. Материалы и исследования. Т. 4, вып. 13. Спб., 1913, с.136.

С. 171. *«Войдя в переднюю квартиры Петра Александровича . . .»* – И.С. Т у р г е н е в. Литературный вечер у П. А. Плетнева. – И.С. Т у р г е н е в. Собр. соч. в 12-ти т. Т.10. М., ГИХЛ, 1956, с. 264.

С. 171. *«. . . я, едва вступивший в свет юноша . . .»* – Н. В. Гоголь – В. А. Жуковскому 19 декабря 1847 г. – Н.В. Г о г о л ь. Полн. собр. соч. в 4-х т. Т. 4. Изд. «Правда», 1968, с. 318.

С. 171. *«Раевский будет у меня нынче ввечеру . . .»* – В. А. Жуковский – Пушкину. Февраль–март 1834 г. – А.С. П у ш к и н. Полн. собр. соч. Т.15. Изд-во АН СССР, 1948, с.122.

С. 171. *«. . . он читал ее однажды у Жуковского . . .»* – В.А. С о л л о г у б. Воспоминания. М., 1866, с.17. – См.: М. А р о н с о н и С. Р е й с е р. Литературные кружки и салоны. Л., «Прибой», 1929, с. 209.

С. 171. *Об этом чтении вспоминал и М. И. Глинка . . .* – См.: М. Г л и н к а. Записки, с.104, 122.

С. 172. *«все равно, кто какой кличкой бы ни назывался . . .»* – В.А. С о л л о г у б. Воспоминания о кн. В.Ф. Одоевском. – В сб.: В память о кн. В.Ф. Одоевском. М., 1969, с. 97.

С. 172. *«в этом безмятежном святилище знания . . .»* Т а м ж е, с. 96.

С. 173. *«. . . В карамзинской гостиной . . .»* – См.: А.И. К о ш е л е в. Мои воспоминания об Хомякове. «Русский архив», 1879, кн. 3, с. 266.

С. 173. *«Вчера или позавчера мы много говорили о «Современнике»*. – Е. А. Карамзина – А. Н. Карамзину. Пушкин в письмах Карамзиных 1836–1837 годов. М. – Л., Изд-во АН СССР, 1960, с. 122.

С. 173. *«. . . Сюда по новым им волнам . . .»* – А.С. П у ш к и н. Медный всадник. Т. 4, с. 378.

С. 174. *Первые гостиницы, постоялые дворы, трактиры . . .* – См.: П.Н. С т о л п я н с к и й. Зеленый змий в старом Петербурге. «Наша старина», 1915, № 11.

С. 174. *«Кроме больших постоялых дворов . . .»* – И.Г. Г е о р г и. Описание российско-императорского столичного города Санкт-Петербурга, с. 577.

С. 174. *«Места, где путешествующий может остановиться . . .»* – Ф. Ш р е д е р. Новейший путеводитель по С.-Петербургу, с. 240.

С. 174. Медико-топографическое описание Санкт-Петербурга. Спб., 1820.

С. 175. *«Вот мы прибыли в Петербург . . .»* – Дневник В. П. Шереметевой, с.18.

С. 175. *«бедный нумер, состоявший из двух комнаток»*. – Ксенофонт П о л е в о й. Записки о жизни и сочинениях Николая Александровича Полевого. – В кн.: Николай Полевой. Материалы по истории русской литературы и журналистики тридцатых годов. Изд-во писателей в Ленинграде, 1934, с. 276. Ср.: А. Я ц е в и ч. Пушкинский Петербург. Л., Пушкинское общество, 1935, с. 378.

С. 175. *«Ее превосходительству А. П. Керн . . .»* – А.П. К е р н. Воспоминания, с. 44.

С. 175. *«Это было в Петербурге . . .»* – М.В. Ю з е ф о в и ч. Памяти Пушкина. Пушкин в воспоминаниях современников. Л., ГИХЛ, 1950, с. 394, 395.

С. 175. *«Третьего дня провели мы вечер и ночь у Пушкина . . .»* – П. А. Вяземский – В. Ф. Вяземской 2 мая 1828 г. – Литературное наследство. Т. 58. Пушкин. Лермонтов. Гоголь. М., Изд-во АН СССР, 1958, с. 76, 77.

С. 176. *«Это один из самых умных людей в России . . .»* – К. П о л е в о й. О жизни и сочинениях А. С. Грибоедова. Горе от ума. Комедия в 4-х действиях и стихах. Соч. А. С. Грибоедова. Изд. 2. Спб., 1839, XLI.

С. 176. *«Усердно помолившись богу . . .»* – А.С. П у ш к и н. 19 октября 1828 года. Т. 3, с. 78.

С. 176. *«При умеренной температуре в один градус . . .»* – Северная пчела, 1836, 14 ноября.

С. 176. *«Мосты чугунные чрез воды . . .»* – А.С. П у ш к и н. Евгений Онегин. Т. 5, с.154.

С. 177. *«Квартира г. Якоби, на Васильевском острову . . .»* – Северная пчела, 1839, 27 сентября. – Цит. по: М.П. А л е к с е е в. Пушкин и наука его времени. – В кн. : М.П. А л е к с е е в. Пушкин. Л., «Наука», 1972, с. 92, 93.

С. 177. *«О сколько нам открытий чудных . . .»* А.С. П у ш к и н. Т. 3, с.161.

С. 177. *Достижения науки сулили немалые практические выгоды*. – См.: Очерки истории Ленинграда. Т. 1, с. 450–452, 464, 465.

С. 177. *«. . . Я пишу для себя, а печатаю для денег . . .»* – Пушкин – П. А. Вяземскому 8 марта 1824 г. – А. С. Пушкин. Т. 10, с. 83.

С. 177. *«У нас, как заметила* m-me de Staêl . . .» – А.С. П у ш к и н. Путешествие из Москвы в Петербург. Т. 7, с. 286.

С. 178. *«У Слёнина в лавке на креслах сижу . . .»* – А.Е. И з м а й л о в. Слёнина лавка. – Цит. по: М. А р о н с о н и С. Р е й с е р. Литературные кружки и салоны, с. 246.

С. 178. *«К Ивану Васильевичу по Невскому проспекту . . .»* – Материалы для истории русской книжной торговли. Воспоминания И. Т. Лисенкова. Спб., 1879, с. 66.

С. 178. *«Пушкин посещения делал к Лисенкову . . .»* – Там же, с. 67.

С. 178. *Некоторые книгопродавцы, становясь приверженцами одной из литературных партий . . .* – См.: В. Б у р н а ш е в. Из воспоминаний петербургского старожила. – См.: также: М. А р о н с о н и С. Р е й с е р. Литературные кружки и салоны, с. 245.

С. 179. *«Угодник русских муз, свой празднуй юбилей . . .»* – Т. Г р и ц, В. Т р е н и н, М. Н и к и т и н. Словесность и коммерция (книжная лавка А.Ф.Смирдина). М., Федерация, 1929, с.218.

С. 179. *«Ты, брат Семенов, сегодня словно Христос на горе Голгофе».* – Т а м ж е, с.221.

С. 180. *«Книжный магазин блестел . . .»* – Н.В. Г о г о л ь. Полн. собр. соч. Т.8, с.146, 149. См. также: Ник. С м и р н о в - С о к о л ь с к и й. Рассказы о прижизненных изданиях Пушкина. М., Изд-во Всесоюзной книжной палаты, 1962.

С. 180–181. *«Ничего не предпринимал я без его совета . . .»* – Н.В.Гоголь. – П.А. Плетневу 28/16 марта 1837 г. – Н.В. Г о г о л ь. Полн. собр. соч. Т.11, с.88, 89.

С. 181. *«Слушая сию новинку . . .»* – А.С. П у ш к и н. Т.3, с.413.

С. 181. *«Некоторые из аристократов, говоря о моей опере . . .»* – М. Г л и н к а. Записки, с.118.

С. 181. *«Тебя, т.е. твое творение он понимает . . .»* – А.С. П у ш к и н. Полн. собр. соч. Т.16. Изд-во АН СССР, 1949, с.74.

С. 181. *«Везувий зев открыл – дым хлынул клубом – пламя . . .»* – А.С. П у ш к и н. Т.3, с.282.

С. 181. *«Он очень мне понравился . . .»* – А.С. П у ш к и н. Полн. собр. соч. Т.16. Изд-во АН СССР, с.111.

С. 181–182. *«Сегодня в нашей мастерской . . .»* – А.Н. М о к р и ц к и й. Воспоминания о К.П.Брюллове. – Отечественные записки, 1855, Т. 12, с. 165. Ср.: К.П. Брюллов в письмах, документах и воспоминаниях современников. М., Изд-во АХ СССР, 1961, с.146.

С. 182. *«Грустен и весел вхожу, ваятель, в твою мастерскую . . .»* – А.С. П у ш к и н. Художнику. Т.3, с.368.

С. 182. *«Пушкин пожал руку Пименова . . .»* – П.Н. П е т р о в. Николай Степанович Пименов, профессор скульптуры. Спб., 1883, с.5, 6.

С. 182. *«. . . Я слышал похвалы себе . . .»* – В.Г.Белинский – Н.В.Гоголю 20 апреля 1842 г. – В.Г. Б е л и н с к и й. Полн. собр. соч. Т.12. М., Изд-во АН СССР, 1956, с.109.

С. 183. *«Пушкин был в ту эпоху для меня . . .»* – И.С. Т у р г е н е в. Литературный вечер у П.А.Плетнева. Собр. соч. Т.10, с.264.

С. 183. *«Особый эпизод в студентской нашей жизни . . .»* Воспоминания из дальних лет. – Русская старина, 1881, мая, с.158. Подпись: *М.*

С. 183. *«. . . Приехав молодым в Петербург . . .»* – А.Л. М а р к е в и ч. Пушкинские заметки. Пушкин и его современники. Материалы и исследования. Вып.3. Спб., 1905, с.105.

С. 183. *«Очевидно, что аристократия самая мощная, самая опасная . . .»* – А.С. П у ш к и н. Путешествие из Москвы в Петербург. Т.7, с.300, 301.

С. 184. *«. . . с пестрыми флагами и с толпой паяцев и штукарей на балконах . . .»* – В. Б у р ь я н о в. Прогулка с детьми по С.-Петербургу и окрестностям. Ч.2, с.51.

С. 184. *«. . . обещает сцены в современном роде . . .»* – Северная пчела, 1834, с.48.

С. 185. *«избранная публика ездит в экипажах или верхом . . .»* – Ф. Ш р е д е р. Новейший путеводитель по С.-Петербургу, с.221.

С. 185. *«. . .все удовольствие состоит в том . . .»* – Н.В.Гоголь –матери 20 апреля 1829 г. Полн. собр. соч. Т.10, с.140.

С. 186. *«собирался сюда почти весь город . . .»* – В. Б у р ь я н о в. Прогулка с детьми по С.-Петербургу и окрестностям. Ч.2, с.265.

С. 186. *«. . . Летний сад мой огород . . .» – Пушкин – Н.Н.Пушкиной.* – А.С. П у ш к и н. Т.10, с.490.

С. 186. *«Время проводили тогда очень весело . . .»* – А.И. Д е л ь в и г. Воспоминания. Полвека русской жизни, с.147.

С. 187. *«Пушкина мне удалось видеть . . .»* – И.С. Т у р г е н е в. Литературный вечер у П.А.Плетнева. Собр. соч. Т.10, с.265.

С. 187. *«Расточительный богач . . .»* – П.А. В я з е м с к и й. Т.1, с. 17.

С. 188. *Из пятидесяти миллионов человек, населявших империю, около миллиона являлись собственностью непосредственно императорской фамилии . . .* – См.: А.И. К о п а н е в. Население Петербурга, с.109.

С. 189. *«У русского царя в чертогах есть палата . . .»* – А.С. П у ш к и н. Полководец. Т.3, с.329.

С. 189. *«Семейным сходством будь же горд . . .»* – А.С. П у ш к и н. Стансы. Т.11, с. 344.

С. 189–190. *«Государь, уезжая . . .»* – Пушкин – П.А.Вяземскому 16 марта 1830 г. – А.С. П у ш к и н. Т.10, с.274, 275.

С. 190. *«Третьего дня я пожалован в камер-юнкеры . . .»* – А.С. П у ш к и н. Дневник. Т.8, с.33.

С. 190. *«. . .Поговаривают также о законе . . .»* – П.Г. Д и в о в. Дневник. – Русская старина, 1900, № 4, с.136.

С. 190–191. *«Нужны ль прихоти чужие . . .»* – Стихотворения графа Д.И.Хвостова. Т.7 Спб., 1834, с.205.

С. 191. *«Осуждают очень дамские мундиры . . .»* – А.С. П у ш к и н. Дневник. Т.8, с.28.

С. 191. *«6-го бал придворный . . . »* – Т а м ж е, с.62.

С. 191. *«. . . ты знаешь, что при дворе устроен китайский балет . . .»* – С.Н.Карамзина – А.Н.Карамзину 26–27 января 1837 г. – Пушкин в письмах Карамзиных 1836–1837 годов, с.165.

С. 191. *«Государю не угодно было . . .»* – А.С. П у ш к и н. Дневник. Т.6, с. 50, 55, 57.

С. 192. *«О люди! Жалкий род, достойный слез и смеха . . .»* – А.С. П у ш к и н. Полководец. Т.3, с.331.

С. 192. *«Я был в тридцати сражениях . . .»* – Цит. по: П.Е. Щ е г о л е в. Дуэль и смерть Пушкина. М., Журнально-газетное обьединение, 1936, с.234 (Жизнь замечательных людей).

С. 193. *«Друзья, ближние молча окружили изголовье отходящего . . .»* – В.И. Д а л ь. Смерть А.С.Пушкина. Пушкин в воспоминаниях современников, с.462.

С. 193. *«Спустя три четверти часа после кончины . . .»* – В.А.Жуковский – С.Л.Пушкину. – В кн.: П.Е. Щ е г о л е в. Дуэль и смерть Пушкина, с. 248.

С. 193. *«Пушкин умер . . . »* – Николай I – Бенкендорфу. – В кн.: Мих. Л е м к е. Николаевские жандармы и литература 1826–1855 гг., с.524.

С. 193. *«29 генваря 1837 года . . .»* – Воспоминания барона Ф.А.Бюлера. – Русский архив, 1872, с.202.

С. 193. *«В течение трех дней, в которые тело его оставалось в доме . . .»* – Е.Н. М е щ е р с к а я. Письмо о смерти Пушкина. – В кн.: Пушкин, его лицейские друзья и наставники. Статьи и материалы Я.Грота. Спб., 1899, с.262.

С. 193. *«В.А.Жуковского особенно поразил какой-то старик . . .»* – См.: Пушкин в письмах Карамзиных 1836–1837 годов, с.171.

С. 193. *«Мужики на улицах говорили о нем».* – П.А.Вяземский – А.Я.Булгакову 9 февраля 1837 г. – Пушкин в воспоминаниях современников, с.176.

С. 193–194. *«весь Петербург всполошился . . .»* – И.И. П а н а е в. Литературные воспоминания. Л., «Academia», 1928, с.156, 157.

С. 194. *«. . .между тем в нашем обществе . . .»* – С.Н.Карамзина – А.М.Карамзину 2 февраля 1837 г. – Пушкин в письмах Карамзиных 1836–1837 годов, с.171.

С. 194. *«Тебя ж, как первую любовь . . .»* – Ф.И. Т ю т ч е в. Стихотворения. М. – Л., «Советский писатель», 1962, с.210. Библиотека поэта. Малая серия.

С. 194. *«Пройдя сквозь весь пыл наполеоновских и других войн . . .»* –Д.В.Давыдов – П.А.Вяземскому. – Старина и новизна, кн. 22, с.68.

ИМЕННОЙ УКАЗАТЕЛЬ ХУДОЖНИКОВ

Алексеев Сергей Алексеевич (1812 или 1813 – ?) — 156*

Алексеев Федор Яковлевич (между 1753 и 1755 гг. – 1824) — 4, 5, 6, 42, 115

Барт И.-В.-Г. (1779–1855) — 14, 118, 119
Беггров Карл Петрович (Карл Иоахим; 1799–1875) — 16, 28, 59, 61, 75, 83, 85, 86, 92, 102, 136, 137, 149, 150, 159, 160, 161, 165, 167, 168, 173, 174, 177, 178, 179, 185, 212, 217, 223, 224, 230
Беземан — 204
Брюллов Александр Павлович (1798–1877) — 61, 99, 227

Васильев Тимофей Алексеевич (1783–1838) — 109, 175
Вдовичев И. — 220
Вдовичев Н. — 220
Венецианов Алексей Гаврилович (1780–1847) — 62, 142
Воробьев Максим Никифорович (1787–1855) — 10, 11, 40, 94, 145, 151, 198

Гагарин Григорий Григорьевич (1810–1893) — 222
Галактионов Степан Филиппович (1779–1854) — 34, 48, 81, 91, 117, 148, 196, 197
Гампельн Карл Карлович (1794 – после 1880 г.) — 188, 189, 190, 191
Гоберт — 147, 154, 176, 182, 186, 202, 203
Горностаев Алексей Максимович (1808–1862) — 147, 154, 176, 182, 186, 202, 203

Дамам-Демартре Мишель-Франсуа (1763–1828) — 7, 8, 30, 37, 54, 84
Дюран Андре (1807–1867) — 183

Есаков Ермолай Иванович (1791 – после 1823 г.) — 85, 212

Зарянко Сергей Константинович (1818–1870) — 207
Зауервейд Александр Иванович (1782–1844) — 100

Иванов Иван Алексеевич (1779–1848) — 20, 33, 43, 45, 46, 63, 89, 96, 110
Иванов Петр С. — 133, 135, 139, 169, 201, 208, 216

Кольман Карл Иванович (1786–1846) — 70, 71, 120, 195, 199

Ладюрнер Адольф Игнатьевич (1798–1855) — 157

Майр Иоганн-Георг (1760–1816) — 15, 47, 77

Мартынов Андрей Ефимович (1768–1826) — 17, 19, 23, 24, 25, 27, 41, 50, 51, 76, 78, 79
Михайлов Григорий Карпович (1814–1867) — 141, 158
Мокрицкий Аполлон Николаевич (1811–1870) — 158

Никитин Николай Степанович (1811–1881) — 218

Орловский Александр Осипович (1777–1832) — 64, 65, 66, 67, 68, 69, 82, 95, 101

Патерсен Беньямин (1748–1815) — 12, 21, 26, 38, 39, 52, 103, 104, 105
Перро Фердинанд-Виктор (около 1808 г. – 1841) — 130, 180, 184, 187
Попов Семен (1787 – ?) — 36

Сабат К.Ф. — 28, 59, 60, 75, 83, 102, 136, 149, 150, 160, 172, 185, 209
Садовников Василий Семенович (1800–1879) — 131, 133, 135, 137, 139, 167, 168, 169, 173, 201, 206, 208, 216, 219, 225, 228, 230
Сапожников Андрей Петрович (1795–1855) — 226
Свиньин Павел Петрович (1787–1839) — 34, 81
Серракаприола Н. — 98

Теребенев Иван Иванович (1780–1815) — 32
Тозелли Анджело (?–1826) — 1, 2, 3
Толстой Федор Петрович (1783–1873) — 88, 143
Тон Александр Андреевич (1790–1858) — 31
Треттер Г. — 55, 56, 92
Тыранов Алексей Васильевич (1808–1859) — 155
Тюмлинг Л. — 123, 124, 126, 127, 153, 162, 181, 213, 214, 229

Форлоп (Ворлоп) де В. — 217

Чернецов Григорий Григорьевич (1802–1865) — 93, 111, 114, 121, 122, 125, 144, 166, 170, 171, 172, 210
Чернецов Никанор Григорьевич (1805–1879) — 112, 138

Шебуев Василий Козьмич (1777–1825) — 146
Шевалье Ф. — 211
Шенрок Ф.Ф. — 97
Шифляр Самойло Петрович — 28, 59, 60, 83, 102, 136, 149, 150, 173, 179, 185

Щедрин Семен Федорович (1745–1804) — 106
Щедрин Сильвестр Феодосиевич (1791–1830) — 107, 108

*Цифры означают номера репродукций.

ТОПОГРАФИЧЕСКИЙ УКАЗАТЕЛЬ

Австрийского посольства дом (Дворцовая набережная, 4) — 46, 48, 162*

Адмиралтейская верфь — 2–3, 136
Адмиралтейская площадь (ныне Адмиралтейский проспект) — 57, 127, 128, 129, 130
Адмиралтейский бульвар — 14, 17, 57, 118, 119, 127, 128, 129, 130
Адмиралтейский проспект. См. Адмиралтейская площадь
Адмиралтейство — 1–3, 5, 17, 57, 114, 118, 119, 121, 129, 130
Академия наук — 7, 54, 119, 147
Академия художеств — 138, 139, 140, 141, 142
Александринский театр — 208, 210
Александро-Невская лавра — 119, 185
Английская набережная (ныне набережная Красного Флота) — 58, 135, 146
Андреевский собор — 149
Аничков дворец — 32, 203, 204, 205, 206, 207, 209
Аничков мост — 29, 31, 32
Аптекарский остров — 104, 196
Арсенал Старый — 91
Ассигнационный банк — 60

Банковский мост. См. Цепной пешеходный мост через Екатерининский канал между Казанским и Каменным мостами
Безбородко дача (Свердловская набережная, 56) — 105
Белинского мост. См. Симеоновский мост
Бецкого дом (Дворцовая набережная, 2) — 22, 46, 48, 49, 160, 162, 164
Больница для бедных на Литейной улице — 90
Большая Конюшенная улица (ныне улица Желябова) — 225, 228
Большая Морская улица (ныне улица Герцена) — 216, 229
Большая Невка — 107, 197
Большой (Каменный) театр — 77, 78, 79, 80, 81, 83, 115
Бродского улица. См. Михайловская улица

Васильевский остров, Большой проспект — 149, 150
Васильевский остров, набережная (ныне Университетская набережная) — 4, 5, 7, 54, 137, 147
Васильевский остров, 1-я линия — 150
Васильевский остров, стрелка (порт) — 1, 7, 9, 114, 147, 148, 152
Владимирская улица (ныне Владимирский проспект) — 89, 180
Владимирская церковь — 89, 180
Вольфа и Беранже кондитерская на Невском проспекте (Невский 18) — 228, 230

Галерная гавань — 111
Галерная улица (ныне Красная улица) — 133
Герцена улица. См. Большая Морская улица
Главный штаб — 2–4, 14, 16, 124, 126, 229, 230, 231
Городская дума — 36, 203, 204, 212, 213
Гороховая улица (ныне улица Дзержинского) — 59, 74, 178
Гостиный двор Большой — 33, 36, 208, 212
Грибоедова канал. См. Екатерининский канал

Дворцовая набережная — 5, 10, 17, 18, 21, 22, 153, 159, 160, 162, 164
Дворцовая площадь — 2–4, 12, 13, 14, 15, 44, 45, 118, 122, 123, 124, 125, 126, 127, 128, 129
Дворцовая пристань — 153
Декабристов площадь. См. Петровская, или Сенатская, площадь
Демута трактир (Набережная Мойки, 40) — 228
Державина Г. Р. дом (набережная Фонтанки, 118) — 85
Домик Петра I — 22

Екатерингоф — 188–191
Екатерининский институт — 28, 202

* Цифры означают номера репродукций.

Екатерининский канал (ныне канал Грибоедова) — 41, 169, 174, 175, 176, 177, 219
Елагин остров — 198

Желябова улица. См. Большая Конюшенная улица

Зимний дворец — 2–4, 10, 12, 13, 15, 17, 18, 123, 124, 127, 152, 153, 156, 157
Зимняя канавка — 19, 154

Измайловский мост — 84
Измайловского полка казармы — 84
Измайловского полка слобода — 181
Исаакиевская площадь — 43, 52, 57, 132, 134
Исаакиевский мост наплавной, новый — 55, 56, 134
Исаакиевский мост наплавной, старый — 54, 58, 119
Исаакиевский собор, новый (новый Исаакиевский собор в 1820 — 1830-е гг. художники изображали не с натуры, а по известным им проектам) — 56, 131, 132, 134, 137
Исаакиевский собор, старый — 43, 52
Искусств площадь. См. Михайловская площадь

Казанский мост — 34, 175, 176, 219
Казанский собор — 39, 40, 41, 42, 175, 214, 215
Каменноостровский дворец — 104, 106, 107
Каменноостровский мост — 197
Каменный остров — 103, 196, 197
Кировский мост. См. Мост наплавной против монумента А. В. Суворова
Коллегия иностранных дел (набережная Красного флота, 32) — 135
Конюшенное ведомство — 51, 174
Конюшенный мост — 50
Косиковского дом (улица Герцена, 14) — 216
Красная улица. См. Галерная улица
Красного флота набережная. См. Английская набережная
Красный мост — 74, 178
Крестовский остров — 196
Крюков канал — 75

Лаваля дом (набережная Красного флота, 4) — 58
Лебяжий канал (ныне Лебяжья канавка) — 49
Летний дворец Петра I — 23, 167
Летний сад — 21, 22, 23, 24, 49, 93, 164, 165, 166, 167, 168, 169, 170
Литейная улица (ныне Литейный проспект) — 91
Лобанова-Ростовского дом (Адмиралтейский проспект, 12) — 57, 130, 131, 132
Львиный мост. См. Цепной пешеходный мост через Екатерининский канал между Вознесенским и Харламовым мостами

Малая Конюшенная улица (ныне улица Софьи Перовской) — 225
Мало-Конюшенный мост. См. Трехаркный мост через Мойку и Екатерининский канал
Малый театр (театр Казасси) — 209
Манеж — 57, 132
Марсово поле — 46, 47, 48, 49, 169, 170, 171, 172, 173
Миллера дачи — 194
Миллионная улица — 19, 154
Михайловская площадь (ныне площадь Искусств) —221
Михайловская улица (ныне улица Бродского) — 221
Михайловский дворец — 223, 224
Михайловский (инженерный) замок — 25, 26, 168
Мойка — 37, 51, 74, 169, 174, 178, 179, 216, 217, 228, 230, 231
Московский въезд (застава) — 186
Мост наплавной против монумента А. В. Суворова — 161
Мраморный дворец — 11, 21
Муравьевой дом (набережная Фонтанки, 25) — 28, 29

Нарвские триумфальные ворота, старые — 102, 189
Нарвский мост. См. Полицейский мост

Нарышкина дача — 200
Нарышкин дом на набережной Фонтанки — 28, 29
Нева — 1, 2–4, 5, 6, 7, 8, 9, 10, 11, 23, 94, 95, 96, 97, 98, 109, 110, 112, 113, 114, 116, 117, 139, 144, 145, 146, 147, 151, 159, 160, 161, 164, 193, 200
Невка Большая — 106, 107
Невский проспект — 31, 32, 33, 34, 36, 38, 201, 203, 204, 208, 212, 213, 216, 217, 219, 225, 228, 229, 230
Никольский рынок — 75
Никольский собор — 75, 79, 80, 115
Новая Голландия — 76
Новая деревня — 103

Обуховский мост — 86
Острова — 109, 199

Павловского лейб-гвардии полка казармы — 48, 170
Пантелеймоновский цепной мост (ныне мост Пестеля) — 92
Пестеля мост. См. Пантелеймоновский цепной мост
Петергофская дорога (ныне проспект Стачек) — 100
Петровская, или Сенатская, площадь (ныне площадь Декабристов) — 53, 119, 120, 134
Петровский остров — 108
Петру I памятник (Медный всадник) — 53, 119, 120, 133, 134
Петропавловская крепость — 1, 8, 20, 21, 23, 54, 96, 98, 117, 118, 161
Полицейский мост (ранее Зеленый, ныне Народный) — 37, 38, 216, 217, 228
Преображенского лейб-гвардии полка 1-го батальона казарма — 154
Публичная библиотека — 34, 35, 203, 204, 208, 210

Разумовского дворец (набережная Мойки, 48) — 217
Революции площадь. См. Троицкая площадь
Румянцевский обелиск — 46, 47, 114, 137, 139

Садовая улица — 59, 60, 208
Салтыковых дом. См. Австрийского посольства дом
Сената здание, новое — 133, 134
Сената здание, старое — 53, 58
Сенная площадь (ныне площадь Мира) — 61, 62, 63
Симеоновский мост (ныне мост Белинского) — 27, 28
Синода здание, новое — 133, 134
Смирдина А.Ф. книжняя лавка и библиотека для чтения в доме Лютеранской церкви св. Павла на Невском проспекте (Невский, 22) — 225, 226, 227
Смольный монастырь — 112
Софьи Перовской улица. См. Малая Конюшенная улица
Старо-Калинкинский мост — 184, 188
Строгановская набережная — 106, 107
Строгановский дворец (Невский, 17) — 37, 38, 216, 217, 218
Суворову А.В. памятник — 46

Театральная улица (ныне улица Глинки) — 79, 80, 115
Театральный мост. См. Трехаркный мост через Мойку и Екатерининский канал (ныне Мало-Конюшенный и Театральный мосты)
Трехаркный мост через Мойку и Екатерининский канал (ныне Мало-Конюшенный и Театральный мосты) — 169
Троицкая площадь (ныне площадь Революции) — 187
Троицкая церковь на Петербургской стороне — 187
Троицкий собор в слободе Измайловского полка — 181

Университетская набережная. См. Васильевский остров, набережная

Фонтанка — 24, 25, 27, 28, 29, 30, 31, 84, 85, 86, 92, 93, 202

Царицын луг. См. Марсово поле
Царскосельская железная дорога — 192
Цепной пешеходный мост через Екатерининский канал между Вознесенским и Харламовым мостами (ныне Львиный мост) — 177
Цепной пешеходный мост через Екатерининский канал между Казанским и Каменным мостами (ныне Банковский мост) — 176
Церковь св. Андрея Первозванного — 149
Церковь св. Анны, лютеранская — 182
Церковь св. Екатерины, лютеранская — 150

Черная речка. Дачи Миллера — 194
Черная речка. Двухэтажная дача — 195
Черной речки набережная — 194
Чичерина дом, позже Косиковского (Невский, 15) — 37, 38, 216, 217

Шепелевский дом — 121, 158
Шереметевский дворец (набережная Фонтанки, 34) — 28, 202

Энгельгардта дом (Невский, 30) — 219
Эрмитаж — 152, 154, 155, 159
Эрмитажный мост — 20, 159
Эрмитажный театр — 20, 159

КВАРТИРЫ А.С. ПУШКИНА

1817–1820

Набережная Фонтанки, дом Клокачева (набережная Фонтанки, 185, надстроен).

Осень 1831 – весна 1832

Галерная улица, дом Брискорн (Красная улица, 53, сохранился).

Май – декабрь 1832

Фурштадтская улица, дом Алымова (улица Петра Лаврова, участок дома 20, не сохранился).

Декабрь 1832 – май 1833

Большая Морская улица, угол Гороховой, дом Жадимировского (улица Герцена, угол улицы Дзержинского, 26/14, перестроен).

Октябрь 1833 – август 1834

Пантелеймоновская улица, дом Оливье (улица Пестеля, 5, перестроен).

Август 1834 – май 1836

Гагаринская набережная, дом Баташова (набережная Кутузова, 32, перестроен).

Сентябрь 1836–29 января (10 февраля) 1837

Набережная Мойки, дом Волконской (набережная Мойки, 12, перестроен).

ДАЧИ А.С. ПУШКИНА

Лето 1833 и 1835

Набережная Черной речки, дача Ф.И. Миллера (не сохранилась, участок по набережной Черной речки, участки домов 9–51)

Май – сентябрь 1836

Каменный остров, набережная Большой Невки, дача Ф.И. Доливо-Добровольского (не сохранилась, участок дома 20/18 по набережной Большой Невки).

СПИСОК РЕПРОДУКЦИЙ

1–3. Панорама Петербурга, снятая с башни Кунсткамеры. Акварель А. Тозелли. 1817–1820. Фрагменты. ГЭ*.

4. Вид Английской набережной со стороны Васильевского острова. Картина Ф. Я. Алексеева. Начало XIX в. ГРМ.

5. Вид на Адмиралтейство и Дворцовую набережную со стороны Васильевского острова. Картина Ф. Я. Алексеева. 1817. ГРМ.

6. Вид на стрелку Васильевского острова от Петропавловской крепости. Картина Ф. Я. Алексеева. 1810. ГРМ.

7. Вид Невы, порта и Биржи на стрелке Васильевского острова. Гравюра по рисунку М.-Ф. Дамам-Демартре. 1810-е гг. ГРМ.

8. Вид Невы и Петропавловской крепости зимою. Раскрашенная гравюра по рисунку М.-Ф. Дамам-Демартре. 1810-е гг. ГРМ.

9. Нева у стрелки Васильевского острова. Раскрашенная гравюра. 1810-е гг. ГРМ.

10. Набережная Невы у Зимнего дворца. Рисунок М. Н. Воробьева. 1810-е гг. ГРМ.

11. Большая Нева. Акварель М. Н. Воробьева. 1810-е гг. ГРМ.

12. Вид на Дворцовую площадь от начала Невского проспекта. Картина Б. Патерсена. Начало XIX в. ГЭ.

13. Дворцовая площадь от Адмиралтейства. Акварель неизвестного художника. Начало XIX в. ГМИЛ.

14. Дворцовая площадь. Гуашь И.-В.-Г. Барта. 1810. ГРМ.

15. Развод караула на Дворцовой площади. Картина И.-Г. Майра. Начало XIX в. ГРМ.

16. Арка Главного штаба. Раскрашенная литография К. П. Беггрова. 1822. ВМП.

17. Вид на Зимний дворец и Адмиралтейство. Раскрашенная литография А. Е. Мартынова. Около 1820 г. ГРМ.

18. Зимний дворец со стороны набережной. Литография. 1820-е гг. ГРМ.

19. Мост через Зимнюю канавку по Миллионной улице. Литография А. Е. Мартынова. Около 1820 г. ГРМ.

20. Вид на арку Эрмитажа, Эрмитажный мост и Петропавловскую крепость. Раскрашенная гравюра по рисунку И. А. Иванова. 1810-е гг. ГПБ.

21. Вид на Дворцовую набережную от Петропавловской крепости. Раскрашенная гравюра Б. Патерсена. Начало XIX в. ГРМ.

22. Вид от домика Петра I на Летний сад и Дворцовую набережную. Раскрашенная гравюра. 1820-е гг. ГПБ.

23. Вид на Неву и Летний дворец Петра I. Картина А. Е. Мартынова. 1810-е гг. ГРМ.

24. Летний сад и набережная Фонтанки. Раскрашенная литография А. Е. Мартынова. Около 1820 г. ГРМ.

25. Вид из Летнего сада на Михайловский замок и набережную Фонтанки. Раскрашенная литография А. Е. Мартынова. Около 1820 г. ГРМ.

26. Вид на Михайловский замок со стороны главного фасада. Раскрашенная гравюра Б. Патерсена. Начало XIX в. ГЭ.

27. Симеоновский мост через Фонтанку. Раскрашенная литография А. Е. Мартынова. Около 1820 г. ГРМ.
На набережной Фонтанки, между Симеоновским и Пантелеймоновским мостами, против Михайловского замка, жили А. И. и Н. И. Тургеневы. В 1817–1820 гг. у них постоянно бывал А. С. Пушкин.

28. Фонтанка, вид от Аничкова к Симеоновскому мосту. Литография К. П. Беггрова по рисунку К. Ф. Сабата и С. П. Шифляра. 1820-е гг. ГРМ.
В третьем доме слева, принадлежавшем Е. Ф. Муравьевой, жили Н. М. Муравьев и Н. М. Карамзин.

29. Вид на Аничков мост с набережной Фонтанки возле дома Нарышкина. Литография. 1820-е гг. ГРМ.

30. Набережная Фонтанки. Раскрашенная гравюра по рисунку М.-Ф. Дамам-Демартре. 1810-е г. ГРМ.

31. Фонтанка у Невского проспекта. Раскрашенная литография по рисунку А. А. Тона. 1822. ГРМ.

32. Вид Аничкова дворца с принадлежащим к нему строением. Раскрашенная гравюра И. И. Теребенева. 1814. ГПБ.

33. Вид Гостиного двора. Раскрашенная гравюра И. А. Иванова. 1815. ГМИЛ.

34. Невский проспект у Публичной библиотеки. Гравюра С. Ф. Галактионова по рисунку П. П. Свиньина. 1810-е гг. ГРМ.

35. Публичная библиотека. Литография. 1820-е гг. ГПБ. В Публичной библиотеке работали и в доме служащих библиотеки (третий от Невского пр. по Садовой ул.) жили И. А. Крылов и Н. И. Гнедич.

36. Вид Невского проспекта с частью Гостиного двора и Городской думы. Рисунок С. Попова. 1811. ВМП.

37. Вид Мойки у Полицейского моста. Гравюра по рисунку М.-Ф. Дамам-Демартре. 1810-е гг. ГРМ.

38. Полицейский мост на Невском проспекте. Раскрашенная гравюра Б. Патерсена. 1810-е гг. ГРМ.

39. Казанский собор со стороны Невского проспекта. Акварель Б. Патерсена. 1810-е гг. ВМП.

40. Похороны М. И. Голенищева-Кутузова в Казанском соборе. Гравюра М. Н. Воробьева. 1814. ГЭ.

41. Вид на Казанский собор со стороны Екатерининского канала. Картина А. Е. Мартынова. 1810-е гг. ВМП.

42. Вид Казанского собора в Петербурге. Картина Ф. Я. Алексеева. 1810-е гг. ГРМ.

43. Торжественное возвращение С.-Петербургского ополчения [. . .] июня 12-го дня 1814 года. Раскрашенная гравюра И. А. Иванова. 1816. ГПБ.

44. Смотр гвардейских частей на Дворцовой площади. Раскрашенная гравюра. 1810-е гг. ГЭ.
«Близ Конюшенного мосту», – так указывал А. С. Пушкин адрес своей последней квартиры на Мойке в доме С. Г. Волконской.

45. Празднество 1816 года марта 19-го в С.-Петербурге (вторая годовщина вступления русских войск в Париж). Акварель И. А. Иванова. 1816. ВМП.

46. Вид Царицына луга (Марсова поля) от Верхнего (Михайловского) сада. Рас-

---

*В списке приняты следующие сокращения: ВМП – Всесоюзный музей А. С. Пушкина, Ленинград; ГМИЛ – Государственный музей истории Ленинграда; ГПБ – Государственная Публичная библиотека им. М. Е. Салтыкова-Щедрина, Ленинград; ГРМ – Государственный Русский музей, Ленинград; ГТГ – Государственная Третьяковская галерея, Москва; ГЭ – Государственный Эрмитаж. Ленинград. Для произведений печатной графики указывается местонахождение листа, репродуцируемого в альбоме.

крашенная гравюра И. А. Иванова. 1814. ГПБ.

47. Марсово поле с обелиском «Румянцева победам». Картина И.-Г. Майра. Начало XIX в. ГРМ.

48. Вид Царицына луга от Летнего сада. Литография С. Ф. Галактионова. 1821. ГРМ.

49. Лебяжий канал у Летнего сада и Царицына луга. Акварель неизвестного художника. 1820-е гг. ВМП.

50. Конюшенный мост через Мойку у Мошкова переулка. Раскрашенная литография А. Е. Мартынова. Около 1820 г. ГПБ.
Близ Конюшенного моста в Мошковом переулке в доме Ланской жил кн. В. Ф. Одоевский.

51. Вид Мойки у Конюшенного ведомства. Раскрашенная литография А. Е. Мартынова. 1809. ВМП.

52. Исаакиевская площадь. Акварель Б. Патерсена. Начало XIX в. ВМП.

53. Сенатская (Петровская) площадь. Памятник Петру I. Раскрашенная гравюра. 1820-е гг. ГРМ.

54. Исаакиевский плашкоутный мост. Гравюра по рисунку М.-Ф. Дамам-Демартре. 1810-е гг. ГРМ.

55. Постройка берегового устоя для нового Исаакиевского моста со стороны Сенатской площади. Литография по рисунку Г. Треттера. 1820-е гг. ГЭ.

56. Новый Исаакиевский мост. Литография по рисунку Г. Треттера. 1820-е гг. ГЭ.

57. Вид на Адмиралтейство, Адмиралтейскую и Исаакиевскую площади от Манежа. Литография. 1820-е гг. ГРМ.
На Исаакиевской площади, против собора, в доме Булатова в 1824–1825 гг. снимал квартиру А. И. Одоевский; у него жили А. С. Грибоедов и В. К. Кюхельбекер.

58. Вид на новый Исаакиевский мост и Английскую набережную. Литография. 1820-е гг. ГРМ.

59. Садовая улица, угол Гороховой. Литография К. П. Беггрова по рисунку К. Ф. Сабата и С. П. Шифляра. 1820-е гг. ГРМ.

60. Садовая улица возле Ассигнационного банка. Литография К. П. Беггрова по рисунку К. Ф. Сабата и С. П. Шифляра. 1820-е гг. Фрагмент. ГРМ.

61. Вид Сенной площади. Акварель К. П. Беггрова с литографии А. П. Брюллова. 1822. ГРМ.

62. На Сенном рынке. Рисунок А. Г. Венецианова. 1820-е гг. ГРМ.

63. Вид Сенной площади в Санкт-Петербурге. Раскрашенная гравюра И. А. Иванова. 1814. ГПБ.

64. Ямской базар. Литография А. О. Орловского. 1820. ГРМ.

65. Извозчичья биржа. Литография А. О. Орловского. 1820. ГРМ.

66. У дровяного склада. Литография А. О. Орловского. 1820. ГРМ.

67. У мучных амбаров. Литография А. О. Орловского. 1820. ГРМ.

68. Грешневишник. Раскрашенная литография с оригинала А. О. Орловского. 1820. ГРМ.

69. Мальчик – разносчик булок. Раскрашенная литография с оригинала А. О. Орловского. 1820. ГРМ.

70. Молочницы. Раскрашенная литография К. И. Кольмана. 1820-е гг. ГРМ.

71. Продавец хлеба. Раскрашенная литография К. И. Кольмана. 1820-е гг. ГРМ.

72. Закусочная и табачная лавка. Литография. 1820-е гг. ГРМ.

73. Извозчик и будочник. Литография. 1820-е гг. ГРМ.

74. Красный мост через Мойку по Гороховой улице. Акварель неизвестного художника. 1820-е гг. ГМИЛ.

75. Вид Никольского собора со стороны Крюкова канала. Литография К. П. Беггрова по рисунку К. Ф. Сабата. 1823. ГРМ.
На Крюковом канале, угол Екатерингофского проспекта, близ Никольского собора в доме Брагина, в 1810-х гг. жил В. А. Жуковский. Здесь часто бывал А. С. Пушкин.

76. Новая Голландия. Раскрашенная литография А. Е. Мартынова. Около 1820 г. ГПБ.

77. Большой театр в Петербурге. Картина И.-Г. Майра. Начало XIX в. Фрагмент. ГРМ.

78. Большой (Каменный) театр. Рисунок А. Е. Мартынова. 1810-е гг. ГМИЛ.

79. Большой (Каменный) театр. Литография А. Е. Мартынова. Около 1820 г. ГРМ.
Близ Большого театра, на Театральной улице, жил Ф. Н. Глинка; на углу Театральной улицы и Екатерингофского проспекта, на квартире Н. В. Всеволожского, происходили собрания «Зеленой лампы», в которых участвовал А. С. Пушкин.

80. Большой (Каменный) театр. Рисунок неизвестного художника. 1810-е гг. ВМП.

81. Зрительный зал петербургского Большого театра. Гравюра С. Ф. Галактионова по рисунку П. П. Свиньина. 1820-е гг. ГРМ.
В 1817–1820 гг. частым посетителем Большого театра был А. С. Пушкин.

82. Щеголь в дрожках. Литография по рисунку А. О. Орловского. 1820-е гг. ГРМ.

83. Грелка на площади у Большого театра. Литография К. П. Беггрова по рисунку К. Ф. Сабата и С. П. Шифляра. 1820-е гг. Фрагмент. ГРМ.

84. Вид на Измайловский мост через Фонтанку и на казармы. Гравюра по рисунку М.-Ф. Дамам-Демартре. 1810-е гг. ГРМ.

85. Вид Фонтанки от Измайловского моста. Литография К. П. Беггрова по рисунку Е. И. Есакова. 1823. ГРМ.
Второй дом справа, примыкающий к зданию казарм Измайловского полка и выходящий на набережную двумя флигелями, – дом Г. Р. Державина.

86. Обуховский мост через Фонтанку. Литография К. П. Беггрова. 1823. ГРМ.
В 1810-е гг. близ Обуховского моста на набережной Фонтанки в собственном доме жил А. Н. Оленин. В 1830-х гг. «близ Обуховского моста, против дома путей сообщения, в доме Сухаревой» жил П. А. Плетнев.

87. Гостиная Олениных. Акварель неизвестного художника. 1820-е гг. Государственный Литературный музей, Москва.

88. У окна в летнюю ночь. Гуашь Ф. П. Толстого. 1822. ГТГ.

89. Вид церкви Владимирской богоматери. Раскрашенная гравюра И. А. Иванова. 1815. ГПБ.

90. Больница для бедных на Литейной улице. Литография. 1820-е гг. ГРМ.

91. Вид Старого Арсенала. Литография С. Ф. Галактионова. 1822. ГРМ.

92. Вид цепного Пантелеймоновского моста через Фонтанку. Литография К. П. Беггрова по рисунку Г. Треттера. 1820-е гг. ГЭ.
У Пантелеймоновского моста, на Пантелеймоновской улице, в доме А. К. Оливье, А. С. Пушкин жил в 1833–1834 гг.

93. Вид из Летнего сада на набережную Фонтанки. Рисунок Г. Г. Чернецова. 1820-е гг. ВМП.

94. Крещенский парад на Неве. Рисунок М. Н. Воробьева. 1810-е гг. ГРМ.

95. Бега на Неве. Акварель А. О. Орловского. 1814. ГРМ.

96. Вид набережной Невы в день Преполовления. Раскрашенная гравюра И. А. Иванова. 1815. ГПБ.

97. Спуск корабля на Неве. Акварель Ф. Ф. Шенрока. 1819.

98. Катальные горы на Большой Неве. Раскрашенная гравюра Н. Серракаприола. 1817. ГПБ.

99. Гулянье на Крестовском острове. Литография А. П. Брюллова. 1822. ГРМ.

100. Дорога в Красный кабачок. Гравюра по рисунку А. И. Зауервейда. 1813. ГПБ.

101. У городской заставы. Литография А. О. Орловского. 1820. ГРМ.

102. Триумфальные ворота. Акварель К. П. Беггрова с его же литографии по рисунку К. Ф. Сабата и С. П. Шифляра. 1820-е гг. ГРМ.

103. Вид Новой деревни с Каменного острова. Картина Б. Патерсена. 1801. ГРМ.

104. Каменноостровский дворец от Аптекарского острова. Картина Б. Патерсена. 1804. ГРМ.

105. Вид на Таврический дворец от дачи графа Безбородко. Раскрашенная гравюра Б. Патерсена. Начало XIX в. Фрагмент. ГПБ.

106. Вид на Каменноостровский дворец через Большую Невку со стороны Строгановской набережной. Картина Семена Ф. Щедрина. 1803. Фрагмент. ГРМ.

107. Вид на Каменноостровский дворец через Большую Невку со стороны Строгановской набережной. Картина Семена Ф. Щедрина. 1803. ГРМ.

108. Вид с Петровского острова в Петербурге. Картина Сильвестра Ф. Щедрина. 1811. ГРМ.

109. Вид петербургских островов и Невы с одним из первых русских пароходов. Картина Т. А. Васильева (?). 1820. ГЭ.

110. Вид Невского монастыря (Александро-Невская лавра). Раскрашенная гравюра И. А. Иванова. 1815. ГПБ.

111. Вид в Галерной гавани в С.-Петербурге. Сепия Г. Г. Чернецова. 1820-е гг. ГРМ.

112. Вид на Смольный монастырь с противоположного берега Невы. Рисунок Н. Г. Чернецова. 1823. ГРМ.

113. Нева у Стрелки Васильевского острова. Осень. Акварель неизвестного художника. 1820-е гг. ГМИЛ.

114. 7 ноября 1824 года. Наводнение в С.-Петербурге. Рисунок с натуры Г. Г. Чернецова. ГЭ.

115. 7 ноября 1824 года на площади у Большого театра. Картина Ф. Я. Алексеева (?). 1824. ВМП.

116. Петербургское наводнение 7 ноября 1824 года. Гравюра. 1820-е гг. ГПБ.

117. Петербургское наводнение 7 ноября 1824 года. Гравюра С. Ф. Галактионова. 1824. ГРМ.

118. Вид от Дворцовой площади на Адмиралтейство. Гуашь И.-В.-Г. Барта. 1810-е гг. ГЭ.

119. Сенатская (Петровская) площадь. Гуашь И.-В.-Г. Барта. 1810-е гг. ГРМ.

120. 14 декабря 1825 года на Сенатской площади. Акварель К. И. Кольмана. 1820-е гг. ВМП.

121. Панорама Дворцовой площади с лесов Александровской колонны. Литография по рисунку Г. Г. Чернецова. 1830-е гг. Фрагмент. ГЭ.

122. Панорама Дворцовой площади с лесов Александровской колонны. Литография по рисунку Г. Г. Чернецова. 1830-е гг. ГЭ.
Здесь, в так называемом Шенелевском доме, в 1830-е гг. жил В. А. Жуковский и проходили субботние собрания.

123. Дворцовая площадь. Зимний дворец. Гравюра Л. Тюмлинга. 1830-е гг. ГРМ.

124. Вид на Дворцовую площадь через арку Главного штаба. Гравюра Л. Тюмлинга. 1830-е гг. ГРМ.
В находившемся в здании Главного штаба Государственном архиве А. С. Пушкин постоянно работал с начала 1830-х гг.

125. Открытие Александровской колонны 30 августа 1834 года. Картина Г. Г. Чернецова. 1834. ГРМ.

126. Дворцовая площадь. Главный штаб. Гравюра Л. Тюмлинга. 1830-е гг. ГРМ.

127. Вид на Дворцовую площадь со стороны Адмиралтейской площади. Гравюра Л. Тюмлинга. 1830-е гг. ГРМ.

128. Вид на Дворцовую площадь от начала Невского проспекта. Литография. 1820-е гг. ГПБ.

129. Вид на Адмиралтейство со стороны Дворцовой площади. Раскрашенная литография. 1820-е гг. ГПБ.

130. Адмиралтейская площадь. Литография Ф.-В. Перро. Около 1840 г. ГРМ.

131. Вид Исаакиевской площади от Синего моста через Мойку. Акварель В. С. Садовникова. 1830-е гг. ГЭ.

132. Вид Исаакиевской площади от Сената. Раскрашенная литография. 1820-е гг. ГРМ.

133. Монумент Петра I. Новые здания Сената и Синода. Литография П. С. Иванова по рисунку В. С. Садовникова. 1830-е гг. ГРМ.

134. Вид на Исаакиевский мост, Исаакиевскую и Сенатскую площади зимою. Раскрашенная литография. 1830-е гг. ГПБ.

135. Английская набережная. Вид в сторону Исаакиевского моста и Сената. Литография П. С. Иванова по рисунку В. С. Садовникова. 1830-е гг. ГРМ.
Длинное с портиком здание (четвертое от угла) – до 1828 г. Коллегия иностранных дел.

136. Адмиралтейская верфь. Литография К. П. Беггрова по рисунку К. Ф. Сабата и С. П. Шифляра. 1820-е гг. ГРМ.

137. Монумент Румянцеву на набережной Васильевского острова. Литография К. П. Беггрова по рисунку В. С. Садовникова. 1830-е гг. ГРМ.

138. Академия художеств. Акварель Н. Г. Чернецова. 1826. ВМП.

139. Вид Академии художеств с двумя сфинксами, украшающими новый спуск набережной Невы. Литография П. С. Иванова по рисунку В. С. Садовникова. 1830-е гг. ГРМ.

140. Вестибюль Академии художеств. Гравюра. 1820-е гг. ВМП.

141. Античная галерея Академии художеств. Картина Г. К. Михайлова. 1836. ВМП.
Осенью 1836 г. Пушкин осматривал расположенную здесь академическую выставку.

142. Натурный класс Академии художеств. Рисунок А. Г. Венецианова. ГРМ.

143. Семейный портрет. Картина Ф. П. Толстого. 1830. ГРМ.

144. Набережная Невы у Академии художеств. Ночь. Картина Г. Г. Чернецова (?). 1830-е гг. Частное собрание.

145. Набережная Невы у Академии художеств. Картина М. Н. Воробьева. 1835. Фрагмент. ГРМ.

146. У сфинкса на Неве в дождь. Рисунок В. К. Шебуева. 1830-е гг. ГРМ.

147. Набережная Васильевского острова. Гравюра Гоберта по рисунку А. М. Горностаева. 1834. ГРМ.

148. Биржа и Ростральные колонны. Литография С. Ф. Галактионова по его же рисунку. 1820-е гг. ГРМ.

149. Церковь св. Андрея Первозванного на Большом проспекте Васильевского острова. Литография К. П. Беггрова по рисунку К. Ф. Сабата и С. П. Шифляра. 1820-е гг. ГРМ.

150. 1-я линия Васильевского острова. Литография К. П. Беггрова по рисунку К. Ф. Сабата и С. П. Шифляра. 1820-е гг. ГРМ.

151. Лунная ночь в Петербурге. Картина М. Н. Воробьева. 1839. ВМП.

152. Вид на Зимний дворец и Эрмитаж со стрелки Васильевского острова. Литография. 1820-е гг. ГРМ.

153. Дворцовая набережная. Гравюра Л. Тюмлинга. 1830-е гг. ГРМ.

154. Вид на арку Эрмитажа и здание казарм первого батальона лейб-гвардии Преображенского полка на углу Миллионной улицы и набережной Зимней канавки. Гравюра Гоберта по рисунку А. М. Горностаева. 1834. ГРМ.
Здесь в 1810-х гг. находилась квартира П. А. Катенина, у которого нередко бывал А. С. Пушкин. Напротив, в собственном доме жила княгиня Е. И. Голицына; ее салон до и после ссылки также посещал поэт.

155. Вид Эрмитажной библиотеки. Картина А. В. Тыранова. Около 1827 г. ГЭ.
А. С. Пушкин работал в разместившейся здесь библиотеке Вольтера.

156. Военная галерея в Зимнем дворце. Картина С. А. Алексеева. 1835. ВМП.
Здесь бывал А. С. Пушкин. С посещением Военной галереи связано его стихотворение «Полководец».

157. Гербовый зал Зимнего дворца. Картина А. И. Ладюрнера. 1834. ГЭ.

158. Собрание у В. А. Жуковского. Картина Г. К. Михайлова, А. Н. Мокрицкого и других художников школы А. Г. Венецианова. 1834–1835. ВМП.
Изображены (слева направо): В. А. Плетнев, В. А. Жуковский, А. В. Кольцов, Н. В. Гоголь, А. С. Пушкин, В. Ф. Одоевский, И. А. Крылов, А. А. Перовский, М. Ю. Виельгорский, Ф. Ф. Вигель, А. Н. Карамзин.

159. Дворцовая набережная у Эрмитажного театра. Гуашь с акварелью К. П. Беггрова. 1820-е гг. ГЭ.

160. Нева у Дворцовой набережной. Литография К. П. Беггрова по рисунку К. Ф. Сабата. 1820-е гг. ГРМ.

161. Вид плавучего моста, построенного в 1826 году через реку Неву, против монумента графа Суворова. Литография К. П. Беггрова. 1820-е гг. ГМИЛ.

162. Дворцовая набережная у дома Австрийского посольства. Гравюра Л. Тюмлинга. 1830-е гг. ГРМ.
А. С. Пушкин в 1830-е гг. посещал салон австрийского посольства Ш.-Л. Фикельмона и его жены Д. Ф. Фикельмон, урожд. Тизенгаузен, внучки М. И. Кутузова. В 1834–1836 гг. поэт жил поблизости отсюда – сразу за Прачечным мостом, на Гагаринской (Французской) набережной в доме Баташова.

163. Великосветский салон. Акварель неизвестного художника. 1830-е гг. ВМП.

164. Набережная Невы у Летнего сада. Раскрашенная гравюра. 1820-е гг. ГРМ.

165. В Летнем саду. Акварель К. П. Беггрова. 1820-е гг. ГРМ.

166. Группа писателей в Летнем саду. И. А. Крылов, А. С. Пушкин, В. А. Жуковский, Н. И. Гнедич. Этюд Г. Г. Чернецова. 1832. ВМП.

167. Вид дворца Петра I в Летнем саду. Литография К. П. Беггрова по рисунку В. С. Садовникова. 1830-е гг. ГРМ.

168. Вид Инженерного замка из Летнего сада. Литография К. П. Беггрова по рисунку В. С. Садовникова. 1830-е гг. ГРМ.

169. Трехаркный мост через Мойку и Екатерининский канал у Царицына луга. Литография П. С. Иванова по рисунку В. С. Садовникова. 1830-е гг. ГРМ.

170. Парад на Царицыном лугу в С.-Петербурге в 1831 году. Картина Г. Г. Чернецова. 1831–1837. ВМП.

171, 172. Парад на Царицыном лугу в С.-Петербурге в 1831 году. Картина Г. Г. Чернецова. 1831–1837. Фрагменты. ВМП.

173. Катальные горы на Царицыном лугу. Литография К. П. Беггрова по рисунку К. Ф. Сабата и С. П. Шифляра. 1820-е гг. ГРМ.

174. Вид моста, построенного через реку Мойку в устье Екатерининского канала. Литография К. П. Беггрова. 1828. ГПБ.

175. Екатерининский канал. Вид на Казанский собор и Казанский мост. Картина Т. А. Васильева. 1820-е гг. ГЭ.

176. Цепной пешеходный мост на Екатерининском канале между Казанским и Каменным мостами. Гравюра Гоберта по рисунку А. М. Горностаева. 1834. ГРМ.

177. Вид цепного моста, построенного в 1826 году на Екатерининском канале между Вознесенским и Харламовым мостами. Литография К. П. Беггрова. 1820-е гг. ГМИЛ.

178. Вид Мойки, снятый со стороны Красного моста на Гороховой улице. Литография К. П. Беггрова по рисунку В. С. Садовникова. 1830-е гг. ГРМ.

179. Мойка. Выезд пожарной команды. Литография К. П. Беггрова по рисунку К. Ф. Сабата и С. П. Шифляра. 1820-е гг. ГРМ.

180. Площадь у церкви Владимирской богоматери. Литография Ф.-В. Перро. Около 1840 г. ГПБ.
В 1830–1831 гг. против церкви Владимирской богоматери жил А. А. Дельвиг. У него часто бывал А. С. Пушкин.

181. Троицкий собор в слободе Измайловского полка. Гравюра Л. Тюмлинга. 1830-е гг. ГРМ.

182. Лютеранская церковь св. Анны. Гравюра Гоберта по рисунку А. М. Горностаева. 1834. ГРМ.
Вблизи церкви св. Анны, на Фурштадской улице в доме Алымова А. С. Пушкин жил в 1832 г.

183. Съезжий двор на Большой Морской улице. Литография по рисунку А. Дюрана. 1839. ГПБ.

184. Площадь у Старо-Калинкина моста. Литография Ф.-В. Перро. Около 1840 г. ГПБ.
У Старо-Калинкина моста, на набережной Фонтанки в доме Клокачева, А. С. Пушкин жил вместе с родителями в 1817–1820 гг.

185. Александро-Невская лавра. Акварель К. П. Беггрова с его же литографии по рисунку К. Ф. Сабата и С. П. Шифляра. 1820-е гг. ГРМ.

186. Московский въезд. Гравюра Гоберта по рисунку А. М. Горностаева. 1834. ГРМ.

187. Троицкая площадь на Петербургской стороне. Литография Ф.-В. Перро. Около 1840 г. ГПБ.

188. Панорама Екатерингофского гулянья. Раскрашенная гравюра К. К. Гампельна. 1825 г. Фрагмент. ГРМ.

189. Панорама Екатерингофского гулянья. Раскрашенная гравюра К. К. Гампельна. 1825. Фрагмент. ГРМ.

190. Панорама Екатерингофского гулянья. Раскрашенная гравюра К. К. Гампельна. 1825. Фрагмент. ГРМ.

191. Панорама Екатерингофского гулянья. Раскрашенная гравюра К. К. Гампельна. 1825. Фрагмент. ГРМ.

192. Поезд Царскосельской железной дороги. Раскрашенная литография. 1837. ГЭ.

193. Пароход идет в Кронштадт. Литография. 1820-е гг. ГРМ.

194. Дачи Миллера на Черной речке. Литография. 1820-е гг. ГРМ. На даче Миллера А. С. Пушкин с семьей жил летом 1833 и 1835 гг.

195. Вид двухэтажной дачи на Черной речке. Акварель К. И. Кольмана. 1838. ГМИЛ.

196. Вид с Каменного острова на Крестовский и Аптекарский острова. Картина С. Ф. Галактионова. 1820-е гг.
На Каменном острове со стороны большой Невки (дача Ф. И. Доливо-Добровольского) А. С. Пушкин с семьей жил в 1836 г.

197. Вид с Каменноостровского моста. Раскрашенная литография С. Ф. Галактионова. 1822 г.

198. Вид на Елагин остров. Акварель М. Н. Воробьева. 1829.

199. Острова вечером. Акварель К. И. Кольмана. 1835.

200. Дача Д. Л. Нарышкина на берегу Невы. Раскрашенная литография. 1820-е гг. ГРМ.
Напротив дачи Нарышкина на берегу Невы, у Крестовского перевоза, летом 1829 г. и 1830 г. жили Дельвиги.

201. Панорама Невского проспекта, правая сторона. Фрагмент – Аничков дворец. Раскрашенная литография П. С. Иванова по рисунку В. С. Садовникова.

1835. ГРМ.

202. Вид Фонтанки от Аничкова моста. Гравюра Гоберта по рисунку А. М. Горностаева. 1834. ГРМ.

203. Невский проспект у Аничкова дворца. Гравюра Гоберта по рисунку А. М. Горностаева. 1834. ГРМ.

204. Невский проспект у Аничкова дворца. Литография Беземана. 1830-е гг. ГРМ.

205. Аничков дворец. Главный фасад. Литография. 1820-е гг. ВМП.
А. С. Пушкин вынужден был бывать с женой на балах в Аничковом дворце.

206. Аничков дворец со стороны Фонтанки. Акварель В. С. Садовникова. 1838. ВМП.

207. Аничков дворец. Парадная лестница. Картина С. К. Зарянко. Середина XIX в. ВМП.

208. Панорама Невского проспекта, правая сторона. Фрагмент – Александринский театр и Публичная библиотека. Раскрашенная литография П. С. Иванова по рисунку В. С. Садовникова. 1835. ГРМ.

209. Петербургский Малый театр. Гравюра по рисунку К. Ф. Сабата. 1820-е гг. ГПБ.

210. Угловой зал второго этажа Публичной библиотеки. Рисунок Г. Г. Чернецова. 1820-е гг. ГПБ.

211. Вид Александринского театра. Литография Ф. Шевалье. 1830-е гг. ГЭ.

212. Вид Гостиного двора на Невском проспекте. Раскрашенная литография К. П. Беггрова по рисунку Е. И. Есакова. 1820-е гг. ГРМ.

213. Невский проспект у Городской думы. Гравюра Л. Тюмлинга. 1830-е гг. ГРМ.

214. Казанский собор, интерьер. Гравюра Л. Тюмлинга. 1830-е гг. ГРМ.

215. Казанский собор, интерьер. Картина неизвестного художника. 1830-е гг. ГМИЛ.

216. Панорама Невского проспекта, правая сторона. Фрагмент – от Мойки до Большой Морской. Раскрашенная литография П. С. Иванова по рисунку В. С. Садовникова. 1835. ГРМ.

217. Угол Невского проспекта и набережной Мойки. Литография К. П. Беггрова по рисунку В. Форлопа. 1820-е гг. ГРМ.

218. Картинная галерея Строгановского дворца. Картина Н. С. Никитина. 1832. ГРМ.
А. С. Пушкин бывал во дворце Строгановых и осматривал картинную галерею.

219. Панорама Невского проспекта, левая сторона. Фрагмент – от костела св. Екатерины до дома Энгельгардта на углу Екатерининского канала. Раскрашенная литография И. А. Иванова по рисунку В. С. Садовникова. 1835. ГРМ.

220. Костюмированный бал. Литография И. и Н. Вдовичевых. 1820-е гг. ГПБ.

221. Михайловская улица. Гравюра Л. Тюмлинга. 1830-е гг. ГРМ.
На Михайловской площади, возле дворца в 1830-е гг. жили Виельгорские и Карамзины, у которых бывал А. С. Пушкин.

222. Бал у кн. М. Ф. Барятинской. Акварель Г. Г. Гагарина. 1830-е гг. ГРМ.

223. Михайловский дворец. Акварель К. П. Беггрова. 1832. ГРМ.

224. Михайловский дворец. Акварель К. П. Беггрова. 1832. Фрагмент. ГРМ.

225. Панорама Невского проспекта, левая сторона. Фрагмент – от Екатерининского канала до Большой Конюшенной улицы. Раскрашенная литография И. А. Иванова по рисунку В. С. Садовникова. 1835. ГРМ.

226. В лавке А. Ф. Смирдина на Невском проспекте. Рисунок А. П. Сапожникова. Эскиз титульного листа второй книги альманаха «Новоселье». 1833–1834. ВМП.
А. С. Пушкин часто посещал книжную лавку А. Ф. Смирдина.

227. Торжественный обед у А. Ф. Смирдина по случаю переезда книжной лавки и библиотеки для чтения в новое помещение на Невском проспекте. Акварель А. П. Брюллова. Эскиз титульного листа первой книги альманаха «Новоселье». 1832–1833. ВМП.
Изображены на первом плане (справа налево): И. А. Крылов, А. Ф. Смирдин (стоит), А. С. Хвостов, А. С. Пушкин, Н. И. Греч (произносит тост), В. И. Семенов, Ф. В. Булгарин.

228. Панорама Невского проспекта, левая сторона. Фрагмент – от Большой Конюшенной улицы до кондитерской С. Вольфа и Т. Беранже. Раскрашенная литография И. А. Иванова по рисунку В. С. Садовникова. 1835. ГРМ.

229. Вид от Невского проспекта на арку Главного штаба. Гравюра Л. Тюмлинга. 1830-е гг. ГРМ.

230. Кондитерская С. Вольфа и Т. Беранже на углу Невского проспекта и набережной Мойки. Литография. 1830-е гг. ВМП.
Отсюда 27 января 1837 г. А. С. Пушкин со своим секундантом К. К. Данзасом уехал на Черную речку, где состоялась его дуэль с Дантесом.

231. Вид Главного штаба со стороны Мойки. Литография К. П. Беггрова по рисунку В. С. Садовникова. 1830-е гг. ГРМ.
Здесь, на набережной Мойки, в доме С. Г. Волконской, была последняя квартира А. С. Пушкина.

РИСУНКИ А. С. ПУШКИНА, ВОСПРОИЗВЕДЕННЫЕ В ТЕКСТЕ

Автопортрет. Рисунок пером на отдельном листе*. 1820 ... 15

Александр I. Рисунок карандашом в рабочей театради. 1817–1825 гг. ... 18

И. А. Каподистрия. Рисунок пером на черновой рукописи II главы романа «Евгений Онегин». 1823 ... 23

Игрок на бильярде. Рисунок пером на черновой рукописи в рабочей тетради. 1824 ... 24

Общество в гостиной. Рисунок пером на черновой рукописи стихотворения «Осень». 1830 ... 25

А. Н. Оленин. Рисунок пером на черновой рукописи «Благословен и день, и час...» 1829 ... 28

П. А. Вяземский. Рисунок пером на отдельном листе. 1826 ... 29

Автопортрет. Рисунок пером на черновой рукописи в рабочей тетради. 1824 ... 34

В. К. Кюхельбекер. Рисунок пером на черновой рукописи V главы романа «Евгений Онегин». 1826 ... 35

Пушкин и Онегин на берегу Невы. Эскиз иллюстрации к I главе романа «Евгений Онегин». Рисунок карандашом на письме С. Л. Пушкину. 1824 ... 39

М. С. Лунин. Рисунок пером в рабочей тетради. 1817–1825 ... 40

И. И. Пущин. Рисунок пером на черновой рукописи V главы романа «Евгений Онегин». 1826 ... 41

Курящий юноша. Рисунок карандашом в рабочей тетради. 1817–1825 ... 42

Молодой офицер. Рисунок пером в рабочей тетради. 1817–1825 ... 43

А. А. Шаховской. Рисунок пером на черновой рукописи «Кн. П. А. Вяземскому». 1821 ... 46

П. А. Катенин. Рисунок карандашом в рабочей тетради. 1817–1825 ... 47

Автопортрет. Рисунок пером на черновой рукописи I главы романа «Евгений Онегин». 1823 ... 48

К. Ф. Рылеев и С. П. Трубецкой. Рисунок пером на отдельном листе. 1826 ... 49

Рисунок пером на черновой рукописи поэмы «Тазит». 1829–1830 ... 160

Два автопортрета. Рисунок пером на отдельном листе. 1826 ... 161

Рисунок пером на черновой рукописи повести «Гробовщик». 1830 ... 164

А. А. Дельвиг. Рисунок карандашом на отдельном листе. 1829 ... 167

А. Мицкевич. Рисунок пером на черновой рукописи стихотворения «Калмычке». 1829 ... 168

Автопортрет. Рисунок карандашом на отдельном листе. 1827 ... 171

Н. В. Гоголь. Рисунок карандашом на отдельном листе. 1827 ... 172

И. С. Лаваль. Рисунок пером на черновой рукописи «Там у леска за ближнею долиной...» 1819 ... 173

А. С. Грибоедов. Рисунок пером на черновой рукописи II главы романа «Евгений Онегин». 1823 ... 175

Рисунок пером на рукописи поэмы «Домик в Коломне». 1830 ... 178

М. Ю. Виельгорский. Рисунок пером на черновой рукописи II главы романа «Евгений Онегин». 1823 ... 181

Автопортрет. Рисунок пером на черновиках писем А. Х. Бенкендорфу и В. И. Кистеру. 1832 ... 185

Н. Н. Пушкина. Рисунок карандашом на отдельном листе. 1832 ... 188

Автопортрет. Рисунок пером на черновике письма к В. А. Соллогубу. 1836 ... 193

* Все указанные рукописи Пушкина находятся в Институте русской литературы АН СССР (Пушкинском доме) в Ленинграде.

LIST OF ILLUSTRATIONS*

1–3. Panorama of St. Petersburg viewed from the Tower of the Kunstkammer. Water-colour by A. Tozelli. 1817–1820. Details. SHM.

4. English Embankment viewed from the Vasilyevsky Island. Painting by F. Y. Alekseyev. Early 19th century. SRM.

5. Admiralty and the Palace Square viewed from the Vasilyevsky Island. Painting by F. Y. Alekseyev. 1817. SRM.

6. Vasilyevsky Island Spit viewed from the Peter and Paul Fortress. Painting by F. Y. Alekseyev. 1810. SRM.

7. View of the Neva, the Port and the Stock Exchange on the Vasilyevsky Island Spit. Engraving from the drawing by M.-F. Damame-Demartrait. 1810s. SRM.

8. Neva and the Peter and Paul Fortress in winter. Coloured engraving from the drawing by M.-F. Damame-Demartrait. 1810s. SRM.

9. Neva by the Vasilyevsky Island Spit. Coloured engraving. 1810s. SRM.

10. Neva Embankment near the Winter Palace. Drawing by M. N. Vorobyov. 1810s. SRM.

11. Big Neva. Water-colour by M. N. Vorobyov. 1810s. SRM

12. Palace Square viewed from the Beginning of the Nevsky Prospekt. Painting by B. Paterssen. Early 19th century. SHM.

13. Palace Square viewed from the Admiralty. Water-colour by an unknown artist. Early 19th century. SMHL.

14. Palace Square. Gouache. I.-V.-G. Bart. 1810. SRM.

15. Changing of the Quards in the Palace Square. Painting by I.-G. Mayr. Early 19th century. SRM.

16. Arch of the General Headquarters. Coloured lithograph by K. P. Beggrov. 1822. APM.

17. View of the Winter Palace and the Admiralty. Coloured lithograph by A. E. Martynov. About 1820. SRM.

18. Winter Palace viewed from the Embankment. Lithograph. 1820s. SRM.

19. Bridge over the Zymnaya Kanal in the Millionnaya Street. Lithograph by A. E. Martynov. About 1820. SRM.

20. View of the Hermitage Arch, the Hermitage Bridge and the Peter and Paul Fortress. Coloured engraving from the drawing by I. A. Ivanov. 1810s. SPL.

21. View of the Palace Embankment from the Peter and Paul Fortress. Coloured engraving by B. Paterssen. Early 19th century. SPL.

22. Summer Gardens and the Palace Embankment viewed from Peter I's House. Coloured engraving. 1820s. SPL.

23. View of the Neva and Peter I's Summer Palace. Painting by A. E. Martynov. 1810s. SRM.

24. Summer Gardens and the Fontanka Embankment. Coloured lithograph by A. E. Martynov. About 1820. SRM.

25. Mikhailovsky Castle viewed from the Summer Gardens and the Fontanka Embankment. Coloured lithograph by A. E. Martynov. About 1820. SRM.

26. Main Façade of the Mikhailovsky Castle. Coloured lithograph by B. Paterssen. Early 19th century. SHM.

27. Simeonovsky Bridge over the Fontanka. Coloured lithograph by A. E. Martynov. About 1820. SRM.

28. Fontanka viewed from the Anichkov Bridge towards the Simeonovsky Bridge. Lithograph by K. P. Beggrov from the drawing by K. F. Sabath and S. P. Shiflyar. 1820s. SRM.

29. View of the Anichkov Bridge from the Fontanka Embankment, close to Naryshkin's House. Lithograph. 1820s. SRM.

30. Fontanka Embankment. Coloured engraving by M.-F. Damame-Demartrait. 1810s. SRM.

31. Fontanka near the Nevsky Prospekt. Coloured lithograph from the drawing by A. A. Tone. 1822. SRM.

32. View of the Anichkov Palace and the Building Attached to it. Coloured engraving by I. I. Terebenev. 1814. SPL.

33. View of the Gostiny Dvor. Coloured engraving by I. A. Ivanov. 1815. SMHL.

34. Nevsky Prospekt near the Public Library. Engraving by S. F. Galaktionov from the drawing by P. P. Svinyin. 1810s. SRM.

35. Public Library. Lithograph. 1820s. SRM.

36. Nevsky Prospekt near the City Duma. Drawing by S. Popov. 1811. Museum of Literature in the Institute of Russian Literature (Pushkin House) of the Academy of Sciences of the USSR, Leningrad.

37. View of the Moika near the Police Bridge. Engraving from the drawing by M.-F. Damame-Demartrait. 1810s. SRM.

38. Police Bridge in the Nevsky Prospekt. Coloured engraving by B. Paterssen. 1810s. SRM.

39. Kazan Cathedral viewed from the Nevsky Prospekt. Water-colour by B. Paterssen. 1810s. APM.

40. Funeral of M. I. Golenishchev-Kutuzov in the Kazan Cathedral.
Engraving by M. N. Vorobyov. 1814. SHM.

41. Kazan Cathedral viewed from the Ekaterinensky Canal. Painting by A. E. Martynov. 1810s. APM.

42. View of the Kazan Cathedral in St. Petersburg. Painting by F. Y. Alekseyev. 1810s. SRM.

43. Ceremonial Return of the People's Volunteer Corps to St. Petersburg on June 12th, 1814. Coloured engraving by I. A. Ivanov. 1816. SPL

44. Review of the Guards in the Palace Square. Coloured engraving. 1810s. SHM.

45. Celebration of the second anniversary of the Russian troops' entering Paris. March 19th, 1816. Water-colour by I. A. Ivanov. 1816. APM.

46. Tsaritsyn Lug (Field of Mars) viewed from the Upper (Mikhailovsky) Gardens. Coloured engraving by I. A. Ivanov. 1814. SPL.

47. Field of Mars with the Obelisk "To the Victories of Roumyantsev". Paunting by I. G. Mayr. Early 19th century. SRM.

48. Tsaritsyn Lug viewed from the Summer Gardens. Lithograph by S. F. Gavaktionov. 1921. SRM.

49. Swan Canal by the Summer Gardens and Tsaritsyn Lug. Watercolour by an unknown artist. 1820s. APM.

50. Konyushenny Bridge over the Moika by the Moshkov Lane. Coloured lithograph by

* Abbreviations used in the list of illustrations: APM – All-Union Pushkin Museum, Leningrad; SMHL – State Museum of the History of Leningrad; SPL – Saltykov-Shchedrin State Public Library, Leningrad; SRM – State Russian Museum, Leningrad; STG – State Tretyakov Gallery; SHM – State Hermitage Museum, Leningrad. For prints the location of the sheet used for reproduction is given in the list.

A. E. Martynov. About 1820. SPL.

51. View of the Moika by the State Department of Stables. Coloured lithograph by A. E. Martynov. 1809. SRM.

52. St. Isaac's Cathedral. Water-colour by B. Peterssen. Early 19th century. AMP.

53. Senate (Peter) Square. The Monument to Peter I. Coloured engraving. 1820s. SRM.

54. St. Isaac's Pontoon Bridge. Engraving from the drawing by M.-F. Damame-Demartrait. 1810s. SRM.

55. Construction of a Bankseat for St. Isaac's New Bridge, side facing the Senate Square. Lithograph from the drawing by G. Traitteur. 1820s. SHM.

56. St. Isaac's New Bridge. Lithograph from the drawing by G. Traitteur. 1820s. SHM.

57. Admiralty, the Admiralty Square and St. Isaac's Square viewed from the Manege. Lithograph. 1820s. SRM.

58. View of St. Isaac's New Bridge and the English Embankment. Lithograph. 1820s. SRM.

59. Corner of the Sadovaya and the Gorokhovaya Streets. Lithograph by K. P. Beggrov from the drawing by K. F. Sabath and S. P. Shiflyar. 1820s. SRM.

60. Sadovaya Street by the Assignation Bank. Lithograph by K. P. Beggrov from the drawing by K. F. Sabath and S. P. Shiflyar. 1820s. Detail. SRM.

61. View of the Sennaya Square. Water-colour by K. P. Beggrov. The copy of the lythograph by A. P. Bryllov. 1822. SRM.

62. At the Sennoy Market. Drawing by A. G. Venetsianov. 1820s. SRM.

63. View of the Sennaya Square in St. Petersburg. Coloured engraving by I. A. Ivanov. 1814. SPL.

64. Yamskoy Bazar. Lithograph by A. O. Orlovsky. 1820. SRM.

65. Isvoschik's (Cabnam's) Station. Lithograph by A. O. Orlovsky. 1820. SRM.

66. At the Firewood Warehouse. Lithograph by A. O. Orlovsky. 1820. SRM.

67. By the Flour Warehouses. Lithograph by A. O. Orlovsky. 1820. SRM.

68. Seller of grechneviks. Coloured lithograph from the original by A. O. Orlovsky. 1820. SRM.

69. Young seller of bread. Coloured lithograph from the original by A. O. Orlovsky. 1820. SRM.

70. Sellers of milk. Coloured lithograph by K. I. Kollmann. 1820s. SRM.

71. Seller of bread. Coloured lithograph by K. I. Kollmann. 1820s. SRM.

72. Inn and a tobacconist's Lithograph. 1820s. SRM.

73. Cabman and a guard. Lithograph. 1820s. SRM.

74. Red Bridge over the Moika in the Gorokhovaya Street. Water-colour by an unknown artist. 1820s. SMHL.

75. St. Nicholas' Cathedral viewed from the Kryukov Canal. Lithograph by K. P. Beggrov from the drawing by K. F. Sabath. 1823. SRM.

76. New Holland. Coloured lithograph by A. E. Martynov. About 1820. SPL.

77. Bolshoy Theatre in St. Petersburg. Painting by I.-G. Mayr. Early 19th century. Detail. SRM.

78. Bolshoy (Stone) Theatre. Drawing by A. E. Martynov. 1810s. SMHL.

79. Bolshoy (Stone) Theatre. Lithograph by A. E. Martynov. About 1820. SRM.

80. Bolshoy (Stone) Theatre. Drawing by an unknown artist. 1810s. APM.

81. Hall of St. Petersburg Bolshoy Theatre. Engraving by S. F. Galaktionov from the drawing by P. P. Svinyin. 1820s. SRM.

82. Dandy in the droshky. Lithograph from the drawing by A. O. Orlovsky. 1820. SRM.

83. Place to keep warm in the Square by the Bolshoy Theatre. Lithograph by K. P. Beggrov from the drawing by K. F. Sabath and S. P. Shiflyar. 1820s. Detail. SRM.

84. Izmaylovsky Bridge and the Barracks viewed across the Fontanka. Engraving from the drawing by M.-F. Damame-Demartrait. 1810s. SRM.

85. Fontanka viewed from the Izmaylovsky Bridge. Lithograph by K. P. Beggrov from the drawing by E. I. Esakov. SRM.

86. Obukhovsky Bridge over the Fontanka. Lithograph by K. P. Beggrov. 1823. SRM.

87. Drawing room at the Olenins' house. Water-colour by an unknown artist. 1820s. State Museum of Literature. Moscow.

88. By the window on a summer's night. Gouache by F. P. Tolstoy. 1822. STG.

89. View of the Virgin of Vladimir Church. Coloured engraving by I. A. Ivanov. 1815. SPL.

90. Hospital for the poor in the Liteyny Street. Lithograph. 1820s. SRM.

91. View of the Old Arsenal. Lithograph by S. F. Galaktionov. 1822. SRM.

92. View of the Panteleymonovsky Chain Bridge over the Fontanka. Lithograph by K. P. Beggrov from the drawing by G. Traitteur. 1820s. SHM.

93. Fontanka Embankment viewed from the Summer Gardens. Drawing by G. G. Chernetsov. 1820s. APM.

94. Epiphany Day's parade on the Neva. Drawing by M. N. Vorobyov. 1810s. SRM.

95. Races on the Neva. Water-colour by A. O. Orlovsky. 1814. SRM.

96. View of the Neva Embankment on the Prepolovlenie Holiday. Colour engraving by I. A. Ivanov. 1815. SRM.

97. Launching of a Ship on the Neva. Water-colour by F. F. Shenrok. 1819. SMHL.

98. Toboggan Hills on the Bolshaya Neva. Coloured engraving by N. Serracapriol. 1817. SPL.

99. Public outdoor Festival on the Krestovsky Island. Lythograph by A. P. Bryullov. 1822. SRM.

100. Road to the "Krasny Kabak". Engraving from the drawing by A. I. Zauerweidt. 1813. SPL.

101. By the City Gate. Lithograph by A. O. Orlovsky. 1820. SRM.

102. Triumphal Arch. Water-colour by K. P. Beggrov. Copy of his own lithograph from the drawing by K. F. Sabath and S. P. Shiflyar. 1820s. SRM.

103. New Village viewed from the Kamenny Island. Painting by B. Paterssen. 1801. SRM.

104. Kamennoostrovsky Palace viewed from the Aptekarsky Island. Painting by B. Paterssen. 1804. SRM.

105. Tavrichesky Palace viewed from Count Besborodko's Country House. Coloured engraving by B. Paterssen. Early 19th century. Detail. SRM.

106. Kamennoostrovsky Palace viewed over the Bolshaya Nevka from the Stroganov Embankment. Painting by Simeon F. Shchedrin. 1803. Detail. SRM.

107. Kamennoostrovsky Palace, side facing the Stroganov Embankment viewed across the Bolshaya Nevka. Painting by Simeon F. Shchedrin. 1803. SRM.

108. View from the Petrovsky Island in St. Petersburg. Painting by Sylvester F. Shchedrin. 1811. SRM.

109. View of St. Petersburg Islands and the Neva with one of the first Russian steam ships. Painting by T. A. Vasilyev (?). 1820. SHM.

110. Nevsky Monastery (Alexander Nevsky Lavra). Coloured engraving by I. A. Ivanov. 1815. SPL.

111. View of the Galernaya Harbour in St. Petersburg. Drawing by G. G. Chernetsov. 1820s. SRM.

112. Smolny Convent viewed from the opposite bank of the Neva. Drawing by N. G. Chernetsov. 1823. SRM.

113. Neva by Vasilyevsky Island's Spit. Water-colour by an unknown artist. 1820s. SMHL.

114. St. Petersburg flood. November 7th, 1824. Painting from life by G. G. Chernetsov. SHM.

115. Bolshoy Thetre Square on November 7th, 1824. Painting by F. Y. Alekseyev (?). 1824. APM.

116. St. Petersburg flood, November 7th, 1824. Engraving. 1820s. SPL.

117. St. Petersburg flood. November 7th, 1824. Engraving by S. F. Galaktionov. 1824. SRM.

118. Admiralty viewed from the Palace Square. Gouache by I.-V.-G. Bart. 1810s. SHM.

119. Senate (Peter) Square. Gouache by I.-V.-G. Bart. 1810s. SRM.

120. Senate Square on December 14th, 1825. Water-colour by K. I. Kollmann. 1820s. APM.

121. Panorama of the Palace Square from the scaffolding of the Alexander Column. Lithograph from the drawing by G. G. Chernetsov. 1830s. Detail. SHM.

122. Panorama of the Palace Square from the scaffolding of the Alexander Column. Lithograph from the drawing by G. G. Chernetsov. 1830s. SHM.

123. Palace Square. The Winter Palace. Engraving by L. Tyumling. 1830s. SRM.

124. Palace Square viewed through the Arch of the General Headquarters. Engraving by L. Tyumling. 1830s. SRM.

125. Sanctifying of the Alexander Column on August 30th, 1834. Painting by G. G. Chernetsov. 1834. STG.

126. Palace Square. The General Headquarters. Engraving by L. Tuymling. 1830s. SRM.

127. Palace Square viewed from the Admiralty Square. Engraving by L. Tyumling. 1830s. SRM.

128. Palace Square viewed from the beginning of the Nevsky Prospekt. Lithograph. 1820s. SPL.

129. Admiralty viewed from the Palace Square. Coloured lithograph. 1820s. SPL.

130. Admiralty Square. Lithograph by F.-V. Perrot. About 1840. SRM.

131. St. Isaac's Square viewed from the Blue Bridge over the Moika. Water-colour by V. S. Sadovnikov. 1830s. SHM.

132. St. Isaac's Square viewed from the Senate. Coloured lithograph. 1820s. SRM.

133. Monument to Peter I. New Buildings of the Senate and the Synod. Lithograph by P. S. Ivanov from the drawing by V. S. Sadovnikov. 1830s. SRM.

134. View of the St. Isaac's Bridge, the St. Isaac's Square and the Senate Square in winter. Coloured lithograph. 1830s. SPL.

135. St. Isaac's Bridge and the Senate viewed from the English Embankment. Lithograph by P. S. Ivanov from the drawing by V. S. Sadovnikov. 1830s. SRM.

136. Admiralty Shipyard. Lithograph by K. P. Beggrov from the drawing by K. F. Sabath and S. P. Shiflyar. 1820s. SRM.

137. Monument to Roumyantsev on the Vasilyevsky Island's Embankment. Lithograph by K. P. Beggrov from the drawing by V. S. Sadovnikov. 1830. SRM.

138. Academy of Arts. Water-colour by N. G. Chertnetsov. 1826. APM.

139. View of the Academy of Arts and two Sphynxes decorating the new steps down the Neva. Lithograph by P. S. Ivanov from the drawing by V. S. Sadovnikov. 1830s. SRM.

140. Entrance Hall of the Academy of Arts. Engraving. 1820s. APM.

141. Antique Gallery in the Academy of Arts. Painting by G. K. Mikhailov. 1836. APM.

142. Model Class in the Academy of Arts. Drawing by A. G. Venetsianov. SRM.

143. Family Portrait. Painting by F. P. Tolstoy. 1830. SRM.

144. Neva Embankment near the Academy of Arts. Night. Painting by G. G. Chernetsov (?) 1830s. Private collection.

145. Neva Embankment near the Academy of Arts. Painting by M. N. Vorobyov. 1835. Detail. SRM.

146. By the Sphyn on the Neva Embankment in the rain. Drawing by V. K. Shebuev. 1830s. SRM.

147. Vasilyevsky Island's Embankment. Engraving by Gaubert from the drawing by A. M. Gornostayev. 1834. SRM.

148. Stock Exchange and the Rostrum Columns. Lithograph by S. F. Galaktionov from his own drawing. 1820s. SRM.

149. Church of St. Andrew Pervosvanny in the Bolshoy Prospekt of the Vasilyevsky Island. Lithograph by K. P. Beggrov from the drawing by K. F. Sabath and S. P. Shiflyar. 1820s. SRM.

150. First Line of the Vasilyevsky Island. Lithograph by K. P. Beggrov from the drawing by K. F. Sabath and S. P. Shiflyar. 1820s. SRM.

151. Moon night in St. Petersburg. Painting by M. N. Vorobyov. 1839. APM.

152. Winter Palace and the Hermitage viewed from the Vasilyevsky Island Spit. Lithograph. 1820s. SRM.

153. Palace Embankment. Engraving by L. Tyumling. 1830s. SRM.

154. Barracks of the First Batallion of the Preobrazhensky Life-Guard Regiment at the corner of the Millionnaya Street and the Winter Canal Embankment. Engraving by Gaubert from the drawing by A. M. Gornostayev. 1834. SRM.

155. View of the Hermitage Library. Painting by A. V. Tyranov. About 1827. SHM.

156. Military Gallery in the Winter Palace. Painting by S. A. Alekseyev. 1835. SRM.

157. Heraldic Hall of the Winter Palace. Painting by A. I. Ladyrnair. 1834. SHM.

158. Meeting at Zhukovsky's place. Painting by G. K. Mikhailov, A. N. Mokritsky and other artosts of A. G. Venetsianov's school. 1834–1835. APM.

159. Palace Embankment near the Hermitage Theatre. Gouache with water-colour by K. P. Beggrov. 1820s. SHM.

160. Neva by the Palace Embankment. Lithograph by K. P. Beggrov from the drawing by K. F. Sabath. 1820s. SRM.

161. View of the Raft Bridge, constructed in 1826 over the Neva, opposite the Monument to Count Suvorov. Lithograph by K. P. Beggrov. 1820s. SMHL.

162. Palace Embankment near the Ausruian Embassy. Engraving by L. Tyumling. 1830s. SRM.

163. High-society salon. Water-colour by an unknown artist. 1830s. APM.

164. Neva Embankment near the Summer Gardens. Coloured lithograph. 1820s. SRM.

165. In the Summer Gardens. Water-colour by K. P. Beggrov. 1820s. SRM.

166. Group of writers in the Summer Gardens: I. A. Krylov, A. S. Pushkin, V. A. Zhukovsky, N. I. Gnedich. Sketch by G. G. Chernetsov. 1832. APM.

167. View of Peter I's Palace in the Summer Gardens. Lithograph by K. P. Beggrov from the drawing by V. S. Sadovnikov. 1830s. SRM.

168. Engineers' Castle viewed from the Summer Gardens. Lithograph by K. P. Beggrov from the drawing by V. S. Sadovnikov. 1830s. SRM.

169. Three-span bridge over the Moika and the Ekaterinensky Canal near Tsaryrsyn Lug. Lithograph by P. S. Ivanov from the drawing by V. S. Sadovnikov. 1830s. SRM.

170. Reviewing of the Guards on Tsaritsyn Lug in St. Petersburg in 1831. Painting by G. G. Chernetsov. 1831–1837. APM.

171, 172. Reviewing of the Guards on Tsaritsyn Lug in St. Petersburg in 1831. Painting by G. G. Chernetsov. 1831–1837. Details. APM.

173. Toboggan Hills on Tsaritsyn Lug. Lithograph by K. P. Beggrov from the drawing by K. F. Sabath and S. P. Shiflyar. 1820s. SRM.

174. View of the Bridge over the Moika and the mouth of the Ekaterinensky Canal. Lithograph by K. P. Beggrov. 1828. SPL.

175. Ekaterinensky Canal. View of the Kazan Cathedral and the Kazan Bridge. Drawing by T. A. Vasilyev. 1820s. SHM.

176. Pedestrian Chain Bridge over the Ekaterinensky Canal between the Kazan Bridge and the Kammenny Bridge. Engraving by Gaubert from the drawing by A. M. Gornostayev. 1834. SRM.

177. View of the Chain Bridge over the Ekaterinensky Canal between the Vosnesensky Bridge and the Kharlamov Bridge. The bridge was contructed in 1826. Lithograph by K. P. Beggrov. 1820s. SMHL.

178. Moika viewed from the Red Bridge in the Gorokhovaya Street. Lithograph by K. P. Beggrov from the drawing by V. S. Sadovnikov. 1830s. SRM.

179. Moika. Fire-brigade on an urgent call. Lithograph by K. P. Beggrovfrom the drawing by K. F. Sabbath and S. F. Shiflyar. 1820. SRM.

180. Square by the Virgin of Vladimir Church. Lithograph by F.-V. Perrot. About 1840. SRM.

181. Trinity Cathedral in the Izmailovsky Regiment premises. Engraving by L. Tyuming. 1820s. SRM.

182. St. Anna's Lutheran Church. Engraving by Gaubert from the drawing by A. M. Gornostayev. 1834. SRM.

183. Assembling Yard in the Bolshaya Morskaya Street. Lithograph from the drawing by A. Durand. 1839. SPL.

184. Square near the Old Kalinkin Bridge. Lithograph by F.-V. Perrot. About 1840. SPL.

185. Alexander Nevsky Monastery. Water-colour by K. P. Beggrov. The copy of his own lithograph from the drawing by K. F. Sabath and S. P. Shiflyar. 1820s. SRM.

186. Moscow City Gates. Engraving by Gaubert from the drawing by A. M. Gornostayev. 1834. SRM.

187. Trinity Square in the Peterburgskaya Storona. Lithograph by F.-V. Perrot. About 1840. SRM.

188. Panorama of a Public Outdoor Festival in Ekaterinhoff. Coloured engraving by K. K. Hampeln. 1825. Detail. SRM.

189. Panorama of a Public Outdoor Festival in Ekaterinhoff. Coloured engraving by K. K. Hampeln. 1825. Detail. SRM.

190. Panorama of a Public Outdoor Festival in Ekaterinhoff. Coloured engraving by K. K. Hampeln. 1825. Detail. SRM.

191. Panorama of a Public Outdoor Festival in Ekaterinhoff. Coloured engraving by K. K. Hampeln. 1825. Detail. SRM.

192. Train of the St. Petersburg – Tsarskoye Selo railway. Coloured lithograph. 1837. SHM.

193. Steamship is going to Kronstadt. Lithograph. 1820s. SRM.

194. Miller's Country Houses on the Chernaya Rechka. Lithograph. 1820s. SRM.

195. View of a two-storied Country House on the Chernaya Rechka. Water-colour by K. I. Kollmann. 1838. SMHL.

196. Krestovsky and the Aptekarsky Islands viewed from the Kamenny Island. Painting by S. F. Galaktionov. 1820s. APM.

197. View from the Kamennoostrovsky Bridge. Coloured lithograph by S. F. Galaktionov. 1822. SRM.

198. View of the Elagin Island. Water-colour by M. Vorobyov. 1829. SRM.

199. Islands in the evening. Water-colour by K. I. Kollmann. 1835. SRM.

200. D. L. Naryshkin's Country house on the bank of the Neva. Coloured lithograph. 1830s. SRM.

201. Panorama of the Nevsky Prospekt, the right-hand side. Detail: the Anichkov Palace. Coloured lithograph by P. S. Ivanov from the drawing by V. S. Sadovnikov. 1835. SRM.

202. Fontanka viewed from the Anichkov Bridge. Engraving by Gaubert from the drawing by A. M. Gornostayev. 1834. SRM.

203. Nevsky Prospekt near the Anichkov Palace. Engraving by Gaubert from the drawing by A. M. Gornostayev. 1834. SRM.

204. Nevsky Prospect near the Anichkov Palace. Lithograph. 1830s. SRM.

205. Anichkov Palace. The Main Façade. Lithograph. 1820s. SRM.

206. Anichkov Palace, side facing the Fontanka. Water-colour by V. S. Sadovnikov. 1838. APM.

207. Anichkov Palace. The Grand Staircase. Painting by S. K. Zaryanko. Middle of the 19th century. APM.

208. Panorama of the Nevsky Prospekt, the right-hand side. Detail: the Alexandrinsky Theatre and the Public Library. Coloured lithograph by P. S. Ivanov from the drawing by V. S. Sadovnikov. 1835. SRM.

209. St. Petersburg Maly Theatre. Engraving from the drawing by K. F. Sabath. 1820s. SPL.

210. Corner Hall on the second floor of the Public Library. Drawing by G. G. Chernetsov. 1820s. SPL.

211. View of the Alexandrinsky Theatre Lithograph by F. Chevalier. 1830s. SHM.

212. View of the Gostiny Dvor in the Nevsky Prospekt. Coloured lithograph by K. P. Beggrov from the drawing by E. I. Esakov. 1820s. SRM.

213. Nevsky Prospekt near the City Duma. Engraving by L. Tyumling. 1830s. SRM.

214. Interior view of the Kazan Cathedral. Engraving by L. Tyumling. 1830s. SRM.

215. Interior view of the Kazan Cathedral. Painting by an unknown artist. 1830s. SMHL.

216. Panorama of the Nevsky Prospekt, the right-hand side. Detail: from the Moika Embankment to the Bolshaya Morskaya Street. Coloured lithograph by P. S. Ivanov from the drawing by V. S. Sadovnikov. 1835. SRM.

217. Corner of the Nevsky Prospekt and the Moika Embankment. Lithograph by K. P. Beggrov from the drawing by V. Forlop. 1820s. SRM.

218. Picture Gallery in the Stroganov Palace. Painting by N. S. Nikitin. 1832. SRM.

219. Panorama of the Nevsky Prospekt, the left-hand side. Detail: from St. Catherine catholic church to Engelgardt's house at the corner of the Ekaterinensky Canal. Coloured lithograph by I. A. Ivanov from the drawing by V. S. Sadovnikov. 1835. SRM.

220. Fancy-dress ball. Lithograph by N. Vdovichev and I. Vdovichev. 1820s. SPL.

221. Mikhailovskaya Street. Engraving by L. Tyumling. 1830s. SRM.

222. Ball given by Princess M. F. Baryatinsky. Water-colour by G. G. Gagarin. 1830s. SRM.

223. Mikhailovsky Palace. Water-colour by K. P. Beggrov. 1832. SRM.

224. Mikhailovsky Palace. Water-colour by K. P. Beggrov. 1832. Detail. SRM.

225. Panorama of the Nevsky Prospekt, the left-hand side. Detail: from the Ekaterinensky Canal to the Bolshaya Konyushennaya Street. Coloured lithograph by I. A. Ivanov from the drawing by V. S. Sadovnikov. 1835. SRM.

226. In A. F. Smirdin's Bookshop in the Nevsky Prospekt. Drawing by A. P. Sapozhnikov. Sketch for the title-page of the second volume of the almanac "House-warming". 1833–1834. APM.

227. Ceremonial Dinner at A. F. Smirdin's on the occasion of the removal of the bookshop and the library to the new premises in the Nevsky Prospekt. Water-colour by A. P. Bryullov. Sketch for the title-page of the first volume of the almanac "House-warming". 1832–1833. APM.

228. Panorama of the Nevsky Prospekt, the left-hand side. Detail: from the Bolshaya Konyushennaya Street to S. Volf's and T. Beranger's confectionary shop. Coloured lithograph by I. A. Ivanov from the drawing by V. S. Sadovnikov. 1835. SRM.

229. Arch of the General Headquarters viewed from the Nevsky Prospekt. Engraving by L. Tyumling. 1830s. SRM.

230. S. Volf's and T. Beranger's confectionary shop at the corner of the Nevsky Prospekt and the Moika Embankment. Lithograph. 1830s. APM.

231. General Headquarters viewed from the Moika. Lithograph by K. P. Beggrov from the drawing by V. S. Sadovnikov. 1830s. SRM.

СОДЕРЖАНИЕ

М. П. Алексеев. Пушкин и Петербург

I–V

❀ ❀ ❀

ПУШКИНСКИЙ ПЕТЕРБУРГ

1800–1820-е годы

1–44

1820–1830-е годы

45–84

❀ ❀ ❀

Pushkin's St. Petersburg

87–89

Примечания

90–93

Именной указатель художников

94

Топографический указатель

95–96

Список иллюстраций

97–102

List of illustrations

103–106

Гордин А. М.

Г67 Пушкинский Петербург. Альбом. – Л.: Художник РСФСР, 1991. – 316 с., ил.
ISBN 5-7370-0260-8

Предлагаемый вниманию самого широкого круга читателей альбом «Пушкинский Петербург» является дополненным и отчасти измененным вариантом переиздания книги, вышедшей в 1974 году к 175-летнему юбилею со дня рождения великого русского поэта Александра Сергеевича Пушкина, жизнь и творчество которого тесно связаны с Петербургом. В альбоме воспроизведено свыше двухсот картин, акварелей и гравюр художников – современников поэта. На них город представлен таким, каким видел его Пушкин. А. М. Гордин в своем очерке о Петербурге 1800–1830-х годов рассказывает о том, как жили, одевались, развлекались, какие события занимали разные слои столичного населения. Альбому предпослана статья академика М. П. Алексеева. Резюме и список репродукций даны на английском языке.

Г $\frac{4903000000-027}{М\ 173(03)-91}$ без объявл. **85**

Аркадий Моисеевич Гордин

ПУШКИНСКИЙ ПЕТЕРБУРГ

Издание второе, дополненное
ИБ 1272

Зав. редакцией В. М. Механикова. Редактор Н. Г. Моисеева. Художественный редактор Ю. Э. Фрейдлина. Корректор Е. Е. Ротманская. Подписано в печать 20.02.90. Формат 64×108. Бумага «Achat» 120 г. и мелованная, офсетная, 140 г. Гарнитура «Baskerville». Печать офсетная. Усл.-печ. л. 50,56. Усл. кр.-отт. 183,04. Уч.-изд. л. 42,155. Тираж 50 000 экз. (100). Издательство «Художник РСФСР», Ленинград. Типография Фортшритт Эрфурт – ФРГ. Отпечатано при посредстве В/О «Внешторгиздат».